Mathias Malzieu est né en 1974 à Montpellier. Après une carrière avortée de tennisman et des études de cinéma délaissées au profit de la musique, il devient une figure phare du rock français avec le groupe Dionysos, pour lequel il écrit, compose et interprète les chansons. Amateur de sensations fortes, ce sont en grande partie ses impressionnantes prestations *live* qui l'ont propulsé sur le devant de la scène. Peu enclin à choisir entre sa vocation de chanteur déjanté et celle d'auteur décalé, c'est tout naturellement qu'il décide de mêler les deux, en rédigeant un recueil de nouvelles, *38 mini westerns (avec des fantômes)*, un émouvant roman autobiographique, *Maintenant qu'il fait tout le temps nuit sur toi* puis *La mécanique du cœur*, adapté au cinéma en 2014, et enfin *Métamorphose en bord de ciel*. Mathias Malzieu est également l'auteur, avec l'illustrateur Frédéric Perrin, du livre numérique *L'homme volcan*, disponible sur iPad et sur iPhone.

Le plus petit baiser jamais recensé

Du même auteur

Métamorphose en bord de ciel, Flammarion, 2011 ; J'ai lu, 2012
La mécanique du cœur, Flammarion, 2007 ; J'ai lu, 2009
Maintenant qu'il fait tout le temps nuit sur toi, Flammarion, 2005 ; J'ai lu, 2006
38 mini westerns (avec des fantômes), Pimientos, 2003 ; J'ai lu, 2011

MATHIAS

MALZIEU

Le plus petit baiser jamais recensé

ROMAN

Retrouvez tout l'univers de Mathias Malzieu
Sur www.mathias-malzieu.fr

Bonus et vidéos inédites
Sur http://flamm.fr/malzieu

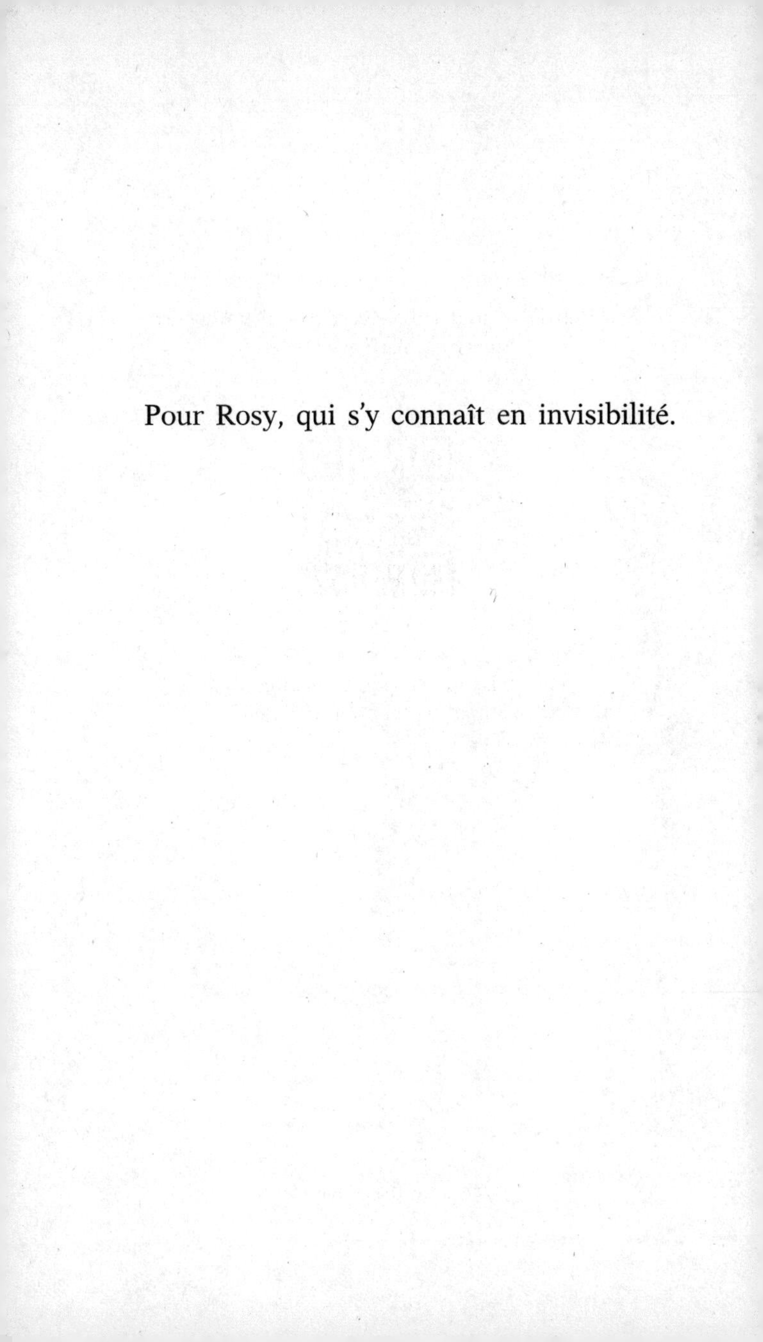

Pour Rosy, qui s'y connaît en invisibilité.

« Il y a une heure de ça, dans le jardin de derrière chez moi, s'est produite la plus petite tempête de neige jamais recensée. Elle a dû faire dans les deux flocons. Moi, j'ai attendu qu'il en tombe d'autres, mais ça n'a pas été plus loin. Deux flocons : voilà tout ce qu'a été ma tempête. »

Richard Brautigan

La fille qui disparaît quand on l'embrasse

Le plus petit baiser jamais recensé. Un millième de seconde, pulpe et duvet compris. À peine une effleure, un origami. Une esquisse de court-circuit. Un taux d'humidité incroyablement proche de zéro, quelque chose de l'ordre de la poussière d'ombre. Le plus petit baiser jamais recensé.

On ne se regardait pas vraiment. On ne se touchait pas vraiment, on se disait presque rien. Ses yeux trop grands sur sa peau de porcelaine, et cette manière étrange de s'excuser de sourire. Ses lèvres, qui voletaient façon flocon de neige perdu sur une plage en été, et moi, qui essayais de le récupérer avec ma glacière trop grande. Un cataclysme déguisé en baiser miniature. Plus puissant qu'une armée de coups de foudre. Le plus petit jamais recensé. Impact de lumière et puis plus rien.

Disparue.

Passée d'un instant à l'instant suivant de l'apparition à la disparition. Comme si sa bouche était un interrupteur corporel magique qui pouvait la faire se volatiliser. Ne restait que la mélodie asthmatique en ré mineur sifflée par ses tout petits poumons.

J'entendis ensuite ses pas s'éloigner, jusqu'à ne plus les entendre. Elle n'avait donc pas disparu, elle était devenue invisible ! Nous avions échangé le plus petit baiser jamais recensé et elle s'en était invisibilisée sur le coup, tranchante comme une coupure de courant.

Il me fallait la retrouver. Ne serait-ce que pour compléter ma collection, limitée pour le moment à un seul exemplaire, de plus petits baisers jamais recensés.

Gaspard Neige

— Les femmes invisibles sont très difficiles à retrouver, même lorsqu'elles sentent excessivement bon, m'expliqua le détective privé à la retraite que m'avait recommandé Louisa, ma pharmacienne.

Elle m'avait dit qu'il ressemblait à un ours polaire à lunettes, avec de petits nuages en coton à la place des cheveux et de la barbe. « C'est un spécialiste de l'extraordinaire parce qu'il est lui-même extraordinaire ! » Elle avait bien raison.

— Vous ne la retrouverez jamais en utilisant des techniques d'investigation classiques. Il va falloir inventer quelque chose pour qu'elle vienne à vous. Une sorte de piège magique.

— Elle coiffe ses cheveux comme on monte les œufs à la neige, précisai-je.

— Il vous faudra la patience d'un pêcheur de sirènes, dit-il, soudainement embarqué dans ses pensées. Et si d'aventure elle réapparaissait gardez-vous bien de l'embrasser, pour ne pas risquer de la faire disparaître à nouveau, conclut-il.

Caressant le cumulus neigeux qui lui servait de barbe, le vieux détective me raccompagna sur le pas de la porte.

— Le souvenir de ce baiser est aussi intact que si j'étais en train de le vivre. Comme s'il se régénérait à chaque seconde.

— C'est parce que vous y pensez tout le temps, vous l'entretenez.

— C'est pire que ça. Tout me rappelle à ce souvenir ! Le bruit d'un interrupteur, le vent qui se lève... Tout. Absolument tout !

— Vous croyez à cette histoire de fille qui disparaît quand on l'embrasse, n'est-ce pas ?

— Croire... Oui. C'est pas très difficile de croire. Il suffit de se convaincre. Ce que je voudrais que vous compreniez, c'est que je ressens quelque chose d'intense. Une vibration particulière, comme de la musique.

— Je comprends... je comprends... À quoi ressemble-t-elle ?

— Je ne l'ai presque pas vue, mais j'ai senti qu'elle était très belle.

— Vraiment très belle ?

— Aussi précisément belle que l'horloge parlante donne l'heure juste.

Un quart de tour sur ses talons plus tard, le visage du détective avait changé d'expression. Les mots « très » et « belle » avaient allumé un je-ne-sais-quoi de lumière dans ses yeux.

— Je vois... et je crois que j'ai exactement ce qu'il vous faut. Venez avec moi.

Je le suivis jusque dans un couloir étroit comme une cheminée. Il ouvrit la porte de ce qui semblait être son ancien cabinet. Les murs de la pièce étaient recouverts de photos des plus délicieuses actrices des années cinquante. Rita Hayworth, Natalie Wood, Grace Kelly, Claudia Cardinale, Brigitte Bardot, Liz Taylor. Aucune ne manquait à l'appel. Toutes étaient accompagnées du même homme élégant portant la banane, le cheveu blanc et un perroquet sur son épaule.

— C'est vous, sur les photos ?

— Il y a bien longtemps, dans une galaxie très lointaine... Mais oui, c'est moi.

Devant l'unique fenêtre, derrière un jukebox en bois laqué rouge, trônait une reproduction d'Elvis Presley grandeur nature. On aurait dit une version empaillée du King, avec un regard pour le moins récalcitrant. Le temps semblait s'être arrêté dans cette pièce, le couloir qui y menait formant un passage entre le présent et le passé. Une ambiance de musée étrange s'en dégageait, nostalgie magique teintée de mélancolie. Sur le bureau, le portrait d'une petite fille aux airs de poupée soucieuse et un perroquet bleu perché sur une pile de livres anciens.

— Je vous présente le plus impitoyable limier du règne animal, mon fidèle complice... Elvis ! annonça-t-il en désignant l'oiseau coiffé comme un chef indien. Ce perroquet est plus efficace qu'un berger allemand dressé pour pister des malfaiteurs, sauf que lui se spécialise en filles « un peu trop jolies ». Il m'a permis d'élucider un grand nombre d'énigmes. Notamment des histoires d'adultère, car il reproduit fidèlement le son des orgasmes. Elvis peut aussi écouter aux portes, et même aux fenêtres à double vitrage. De plus, ses filatures par les airs sont très efficaces. Il n'a pas servi depuis quelques années, mais...

Le vieux détective se mit à parler à voix basse, comme s'il me délivrait là un secret très bien gardé.

— Ce perroquet, c'est un aimant à diamants vivants. Grâce à lui j'ai séduit des femmes exceptionnelles (et autrement plus difficiles à embrasser qu'une fille invisible) ! s'exclama-t-il, le regard aussi pétillant qu'un Moët et Chandon. Écoutez plutôt.

Il claqua des doigts trois fois et chuchota à l'oreille du perroquet :

— Elvis ?

— Rrrlllouu ?

— Claudia Cardinale !

L'oiseau se lança dans un concerto de petits cris délicieusement crescendo.

— Liz... Fais-moi Liz, enchaîna-t-il.

L'oiseau s'arrêta net, puis reprit son récital tout en modulations rauques.

— Allez, ça suffit. Quand je l'écoute trop longtemps, ça me fait monter la mélancolie.

— Vous voulez dire que vous avez...

— Et plutôt dix fois qu'une, mon cher ami ! Je leur faisais passer par perroquet interposé des mots plus que doux, des odes à leurs corps sublimes que j'appelais « petits poèmes de cul ». Lorsque je parvenais à les attirer ici, Elvis les enregistrait à leur insu.

— Magnifique !

— Si vous utilisez correctement ce perroquet, il peut vous conférer des pouvoirs quasi magiques, souffla-t-il avec la fierté du pêcheur de sirènes qu'il prétendait être.

— Comment ça marche ?

— Claquez trois fois dans vos doigts pour déclencher le mode « lecture ». Une fois pour faire « stop ». Le reste du temps, il se met automatiquement en mode « enregistrement ». Mais comme tous les perroquets, quand il lui prend l'envie de parler, de siffler ou de chanter, on ne peut pas l'éteindre.

— Je vois.

— Avez-vous un objet ayant appartenu à votre fille invisible ?

— Non, rien du tout.

— Sauriez-vous reconnaître son parfum ?

— Je suis presque certain qu'elle n'en met pas, ou alors de manière si discrète qu'elle donne l'impression que son odeur est naturelle.

— Hmm... Parce qu'Elvis retrouve mieux une fille lorsqu'on lui fait sentir son parfum.

— Je n'ai que ce léger sifflement de poumons, de l'asthme mais en ré mineur, et cette sensation de fruit rouge électrique quand elle embrasse.

— Je vois... On va réfléchir à tout ça et mettre une stratégie sur pied. Et sinon, que faites-vous dans la vie, vous avez une spécialité, quelque chose ?

— Je suis inventeur-dépressif.
— C'est-à-dire ?
— J'invente des trucs, mais s'ils ne fonctionnent pas, j'ai tendance à déprimer. Quand on fait la moyenne, on peut donc dire que je suis inventeur-dépressif.
— Il faut inventer plus pour déprimer moins, cher ami…
— Si je pouvais, j'inventerais tout le temps.

Avant l'aventure avec la fille invisible, j'avais perdu la guerre mondiale de l'amour. Je n'avais ni compris ni accepté ce qui m'était arrivé. Depuis, mon passé décomposé était bloqué dans mon présent, et les fantômes prenaient plus de place dans mes draps et mes bras que les êtres vivants.
— Puis-je savoir quelle est votre dernière invention ? demanda-t-il.
— Un pistolet à grenouilles.
— Pardon ?
— Oui oui ! On peut mettre six rainettes dans le barillet. Le viseur est celui d'un appareil photo en plastique car la précision du tir n'est pas le but principal de l'opération.
— Et quel est le but principal de l'opération ?
— La surprise.
— Et ça marche ?
— À tous les coups !
— Vous voyez ! Vous ne devriez pas déprimer…
— C'est pas faux.

— En tout cas, vous allez devoir relever un challenge d'inventivité amoureuse pour espérer retrouver la fille invisible.

— Comment ça ?

Il pointa alors son index sur moi comme s'il s'apprêtait à énoncer les dix commandements du pêcheur de sirènes.

— D'abord, trouvez une solution pour reproduire le son des poumons et recréer le goût des lèvres de cette femme. Elvis en aura besoin pour la localiser. Ensuite, et ce sera le plus important, remplissez Elvis de poésie. Écrivez-lui ce que vous ressentez et pourquoi il vous faut la retrouver. Récitez-le-lui, il lui répétera quand il la retrouvera ! Il fonctionnera comme un appât magique pour l'attirer vers vous.

— On dirait que c'est à vous que cette histoire arrive !

— Tss... Avec ce perroquet vous pourriez aussi devenir crooner-ventriloque, imitateur d'animaux sauvages, prestidigitateur, détective spécialisé en extraordinaire et inventeur à temps complet !

— Vous ne vous en servez plus ?

— Oh, non, j'ai pris ma retraite. Je me suis spécialisé en fille invisible moi aussi, à ma manière, dit-il dans un soupir dense comme une boule de pétanque. Aujourd'hui, je sais que la femme de ma vie restera invisible à jamais, même avec un perroquet magique. Si Elvis peut aider à accomplir les petits miracles de tous les jours, il n'est pas capable de remonter le temps.

Marquant un silence, il laissa glisser la paume de sa main sur le pelage bleu métallisé de l'oiseau.

— Mais j'aime l'idée qu'il puisse servir de nouveau.

Le vieux détective privé, qui ressemblait vraiment à un ours à lunettes, déposa Elvis sur mon épaule gauche.

— Je vous le prête.

J'eus l'impression d'être sacré chevalier d'un ordre étrange. Je me demandais bien ce que j'allais pouvoir foutre avec un perroquet, même spécialement dressé. Mais le regard ultraciel du vieux détective pétillait de fierté douce, et je n'avais aucune envie de le contrarier.

L'homme-grenier

Je descendis le boulevard Lee Hazlewood dont les noisetiers géants faisaient tinter leurs fruits de bois. Les arbres passaient au roux, le vent arrachait leurs premières feuilles mortes. Avec ma crinière d'écureuil, je traversais l'automne comme un trompe-l'œil, peinard. Sur mon épaule gauche le perroquet détonnait, avec ses airs de ciel d'été. Je pensais à la fille invisible. Lorsque les souvenirs de la guerre mondiale de l'amour remontaient à la surface, je me concentrais sur le challenge d'inventivité amoureuse qu'il me faudrait relever pour la retrouver. J'aimais l'idée qu'elle puisse être partout. Les questions tourbillonnaient sous mon crâne, s'entrechoquant les unes contre les autres. Qui était-elle ? Pourquoi ce baiser m'obsédait-il ? Pourquoi avait-elle disparu ? Étais-je le seul à déclencher ça chez elle ? Avais-je affaire à une véritable histoire de fantôme ?

Je regagnai mon appartelier du 10, rue Brautigan, dans le 3e arrondissement, où j'avais déposé mes valises pleines de vide quelques mois auparavant. Les murs étaient si blancs qu'on les aurait crus recouverts de peinture à l'ectoplasme. Mais il y avait ces hublots de chalutier magique qui semblaient aimanter la lumière. J'avais rapidement planté quelques livres sur les étagères, histoire de me convaincre que c'était bien chez moi. J'y avais fêté mon trente-septième anniversaire en jouant au ping-pong contre le mur de la salle de bains. Un tout petit pas pour l'homme, j'en conviens, mais un grand pour mon humanité car je sortais de quatre longues semaines à crever dans un hôtel de la rue de Charogne. Là-bas, on se serait cru dans un hôpital sans infirmières. J'avais tellement chialé dans ces draps de coton rêches que la femme de chambre avait dû croire que je pissais au lit.

Après des mois d'efforts quotidiens, l'appartement de la rue Brautigan se transforma en atelier. J'avais commencé par faire pousser des fleurs d'harmonica sur le plancher. J'en récoltais environ un par semaine. Puis ce fut le tour des ukulélés, d'une très vieille guitare du Mississippi et d'une famille de skateboards. Je m'étais même lancé dans l'élevage d'écureuils de combat, qui nichaient dans le grenier de l'immeuble. Du chauffage pour l'esprit, des outils pour retrouver le courage d'inventer. Je n'avais pas le choix et je le savais.

Lorsque j'avais perdu ma mère, il m'avait fallu l'aide d'un géant de 4 mètres 50 pour commencer à aller mieux. Je suis un sousdoué du deuil. La peau à l'intérieur de mon cerveau est constellée de bleus qui ne s'effacent jamais. Je suis un homme-grenier. Je garde tout. Si on plantait une caméra au cœur de ma mémoire, on pourrait reconstituer ma vie, comme dans un studio de cinéma. De la joie sauvage à la colère noire en passant par la fréquence d'un battement de cils, tout est intact.

Ce que je croyais être le monde s'était écroulé au début de l'année. Le choc se répercutait encore et encore. Le manque et la sensation d'injustice explosaient mes boussoles. J'avais l'impression de rétrécir, de devenir transparent. Depuis, je ne savais plus ni ce que je voulais, ni ce que je valais.

Jusqu'à ce que je frôle la fille qui disparaît quand on l'embrasse.

Trou d'obus
à la place du cœur

J'avais perdu le plus petit baiser jamais recensé quelque part au théâtre du Renard. Il avait glissé du bout de mes lèvres en pleine nuit, ce qui me rendait la tâche encore plus compliquée. Une ambiance de machine à remonter le temps enveloppait ce cabaret aux alcôves de fumée. On y donnait des bals de Bird'n'roll[1] et tout le monde y dansait comme on vole. On se serait cru à la fin des années 50, et ce décalage temporel me faisait l'effet d'un refuge. C'était l'époque où je trimbalais encore mon cœur en pièces détachées dans une boîte à chaussures ayant appartenu à celle que je croyais être mon élue. Le temps des voyages en bord de gouffre. Cette nuit-là j'étais K.-O., au point d'en oublier mon

1. Mi rock'n'roll, mi battements d'ailes, constellation de sauts désespérés destinés à effleurer le ciel, le Bird'n'roll est une maladie magique qui consiste à danser comme on vole. Pratiqué pour la première fois par les astronautes Neil Armstrong et Buzz Aldrin, le Bird'n'roll est le premier pas (de danse) sur la lune.

cœur à l'arrière du taxi qui me conduisait au théâtre.

À l'intérieur, après avoir aspiré quelques whisky-Cocas à la paille, je remarquai une robe à pois bleus qui s'ouvrait en corolle et une fleur rouge dans les cheveux. Quelque chose de gracieux, léger et pétillant. Un éclat de mystère qui avait attiré mon attention. Chaque fois que j'essayais de l'approcher, elle s'éloignait. J'avais l'impression de jouer aux dames avec un poisson sauvage. Je tentai toutes les combinaisons de pas de danse possibles pour me retrouver face à elle. Je n'étais pas exactement le roi du swing, mais je compensais à l'énergie. Plus elle jouait à m'éviter, plus je désirais la voir de près, être aspiré par ce courant d'air électrique qui s'intensifiait. Pour la première fois depuis mon accident de cœur, je me laissais aller. Effleurer l'idée de gourmandise me faisait un bien fou. Dehors, il faisait presque jour. Le temps m'était compté. L'orchestre jouait *It's Now or Never*. Si je sortais de ce théâtre sans lui parler, je craignais de ne plus jamais la revoir. Au détour d'un slalom dansé et d'une feinte de corps digne d'un footballeur de 2e division, je parvins enfin à me retrouver nez à nez avec cette fille qui m'aimantait. Là, impossible de prononcer un mot. Sa poitrine me réchauffait le torse comme une bouillotte. De peur que le flot ne l'éloigne à nouveau, je l'embrassai. Un sifflement asthmatique plus tard, elle avait disparu.

— Le plus petit baiser jamais recensé était-il un baiser volé ? m'avait demandé le vieux détective.

— C'était beaucoup trop bon pour n'être qu'un baiser volé, mais quand même... Oui. Un peu.

Je retournai au théâtre, mais entre-temps il avait fermé. Personne ne put me renseigner. J'eus beau rôder en skateboard aux alentours des heures durant, rien. Pas le moindre indice.

Les mots du détective à tête de nuage infusaient dans mon esprit. Il était le premier à abonder dans mon sens. Jusqu'ici, les gens à qui j'avais raconté cette histoire de fille invisible s'étaient appliqués méthodiquement à désosser le squelette de mes espoirs. Il était de bon ton de me répéter que, étant porté sur le rêve depuis l'enfance, j'avais dû l'inventer.

Pourtant, ce souvenir avait fait pousser une fleur étrange au fond du trou d'obus qui me servait de cœur. Ce n'était qu'une rose à la con, à peine un coquelicot. Mais c'était joli à regarder dans les décombres. Elle me donnait de la force.

Je me remémorais les conseils de Gaspard Neige. D'abord, il me fallait un son de poumon asthmatique féminin, si possible en ré mineur, que le perroquet pourrait mémoriser et tenter de reconnaître par la suite. Cet indice, bien que moins parlant que du parfum, n'était pas à négliger, d'autant que c'était le seul dont je disposais. Je me décidai à demander de l'aide à la pharmacienne timidissime qui officiait au Temple du Médicament, à quelques encablures de mon appartelier.

— Bonsoir Louisa.

— Bonsoir, bonsoir.

Que je prononce son prénom devant d'autres clients parut l'embarrasser. Pourtant, il était écrit au Bic sur sa blouse. Une congrégation de petits vieux emmitouflés dans des écharpes immenses grondait autour du comptoir. Certains étaient plus jeunes que moi.

— Merci pour l'adresse de Gaspard Neige. Il est étonnant !

— Oh ça ! Et vous n'êtes pas au bout de vos surprises… Mais qu'est-ce qu'il vous fallait aujourd'hui ?

— De l'amour et un tube de vitamine C, s'il vous plaît.

— Ce sera tout ? répondit-elle en jouant le jeu, ce qui fit soupirer le client derrière moi.

— Non, j'ai quelque chose d'un peu spécial à vous demander…

— Plus spécial que l'amour ?

— Plus spécial que la vitamine C en tout cas.

— Ça va durer encore longtemps ? souffla le chef de la tribu des écharpes.

— Non, non, pardon. Allez-y.

Je laissai la pharmacie se vider de ses derniers clients aussi joyeux que des compteurs électriques avant de revenir à la charge.

— Louisa, j'ai une faveur à vous demander.

— Encore des somnifères sans ordonnance ?

— Non, pas cette fois. J'aurais besoin des adresses des un peu trop jolies brunettes asthmatiques vivant dans le quartier, vous auriez ça ?

— Asiatiques ?

— Asthmatiques !

— Que voulez-vous en faire ?

— Enregistrer le son de leurs poumons pour mettre le perroquet de Gaspard Neige sur la piste de la fille invisible.

— Je ne peux pas donner d'adresses personnelles comme ça, dit-elle d'un ton calme et pédagogique.

À la lisière de sa frange ultra-féminine, ses pupilles se dilatèrent.

Car entre deux ordonnances, sous cette lumière de néons de salle de bains, Louisa la pharmacienne rêvait. Je ne savais pas à quoi, mais elle rêvait. Fort. Elle aimait plus les histoires que les médicaments, ça se sentait à sa façon d'écouter. C'était d'ailleurs en lui racontant le plus petit baiser jamais recensé que j'avais obtenu des somnifères sans ordonnance ainsi que le nom du vieux détective à cheveux de nuages. Je vins cette fois-ci à bout de sa résistance en lui détaillant le plan concocté par Gaspard Neige. Elle finit par me griffonner une adresse sur une boîte de Doliprane en me chuchotant de ne jamais révéler mes sources.

Le soir venu, j'enfilai un costume plus noir que la nuit et ma cravate en lumière de réverbère, une bande de tissu phosphorescente qui donne des allures d'étoile filante lorsqu'on prend de la vitesse. Je comptais me faire passer pour un commis voyageur spécialisé dans la cravate magique. Je m'étais fait la main quelques années plus tôt à Palavas-les-Flots en vendant des hot-dogs vivants, des chiots tout chauds fournis avec d'énormes tranches de pain sur les côtés. J'avais connu un succès tout relatif, mais disons que je connaissais le métier. Je pris la direction du 47, rue Charlie Chaplin, le cœur empli d'un trac excitant. Sur mon grand skateboard, un perroquet sur l'épaule, je me sentais comme le capitaine d'un navire interstellaire sillonnant le 3e arrondissement.

Championnat du monde de chignon

La fille qui apparut sur le palier du deuxième étage était une championne du monde de chignon... Il penchait légèrement sur la gauche, lui donnant une allure de tour de Pise. Elle était plus pulpeuse qu'une armée d'oranges et devait mesurer un bon mètre quatre-vingts. Elle toussota, c'était bon signe. Je fis une entrée en matière plutôt réussie, avec un « Bonsoir excusez-moi de vous déranger » classique et rassurant, quand soudain le perroquet se mit à siffler comme une bouilloire orgasmique. Je lui ordonnai de se taire en claquant des doigts, mais ça ne fit qu'empirer les choses.

— Vous voulez quoi au juste ? demanda-t-elle en crachant la fumée de sa cigarette.

Pour que mon assistant puisse enregistrer ses poumons, il fallait qu'il se taise et qu'elle ne me claque pas trop vite la porte au nez. Je devais gagner du temps.

— Ah ! Euh, moi ? Je... suis... inventeur de cravates ! dis-je en lui montrant le tissu phosphorescent.

— Un vendeur de cravates ?

Elvis hurlait maintenant à la joie. On aurait dit le *finale* d'un film érotique surjoué.

— Vous vous foutez de moi ?

— Alors là, pas du tout ! Mais mon perroquet semble beaucoup vous apprécier, vous comprenez, et il est très démonstratif. Trop ! Je lui ai dit déjà. Il est trop, beaucoup trop démonstratif. Elvis ! Chuuut ! Tu es trop démonstratif !

— Si, si. Vous vous foutez de moi, insista-t-elle sur un ton monocorde, les yeux mi-clos.

— Elvis ! Chuuuut ! Elvis, s'il te plaît !

Les yeux de la fille m'indiquaient que le claquement de porte était téléchargé à 98 % dans son cerveau.

— C'est qui ? fit une voix masculine venue du fond de la pièce. Encore un témoin de Jéhovah ?

Les ardeurs d'Elvis se calmèrent d'un coup d'un seul. Alors qu'il piétinait mon épaule gauche, je restai devant la porte en espérant qu'il enregistre le fameux souffle. Elle tirait si intensément sur sa cigarette que cela augmentait le volume de ses poumons.

— C'est qui ? insista la voix.

— Rien… Un vendeur de cravates fluo avec un perroquet.

— Ah non, pas fluo ! Phos-pho-re-scen-tes ! C'est très important de faire le distinguo ! Regardez bien… dis-je en tentant de glaner quelques secondes d'enregistrement.

— C'est fini ? Merci et bonne nuit ! répondit-elle avant de disparaître dans un nuage de fumée.

Sur le chemin du retour, le perroquet répéta la scène qui venait de se dérouler. Le sifflement de poumons était perceptible seulement après l'intervention de la voix masculine, avant il y avait trop de bruit. Mais il était bien là. Je tenais un début de piste !

De retour chez moi, j'enregistrai le perroquet avec un vieux microphone à lampe si sensible qu'il en était émouvant, et isolai le passage qui m'intéressait : la mélodie de poumons. Puis je copiai le son pour le faire écouter en boucle au perroquet.

Le nichonnier

Alors qu'Elvis répétait ses gammes de sifflement pulmonaire avec son casque sur les oreilles, je couchai sur papier l'histoire du plus petit baiser jamais recensé.

Le souvenir d'une fille invisible, c'est fragile. Cela demande de l'entretien. Écrire à son propos était une bonne façon de l'alimenter. Je m'y appliquais avec frénésie. À défaut de lui parler, je parlais d'elle. Je ramassais les miettes du goût si particulier qu'elle avait laissé sur mes lèvres avant de disparaître. Ses seins aussi avaient laissé une empreinte extraordinairement précise sur mon torse. Je tentais d'en photographier la sensation avec des mots.

Une fois les histoires rédigées, je les apprenais au perroquet. Il les récitait en roulant les « r », ce qui épiçait et décalait agréablement le propos. Ça donnait à peu près ceci :

Le nichonnier

Ton corps ressemble à s'y méprendre à cet arbre fruitier qui a la particularité de ne produire que deux fruits par vie.

On raconte que si on s'endort entre ses branches, on se réveille amoureux.

J'ajoutais à chaque fois la mention : « Si vous êtes la fille qui disparaît quand on l'embrasse, veuillez me laisser un message en parlant près de l'oreille du perroquet. »

Voilà, l'appât à fille invisible était prêt.

Je voulus mesurer le quotient poétique de mes histoires auprès de ma pharmacienne. Elle se mit à rire comme une poule ayant avalé de travers dès que le perroquet commença à parler. C'était bon signe. Il était temps de lancer l'opération « Pêche à la sirène ».

À la tombée de la nuit, je lançai Elvis entre les étoiles et les feux de signalisation. Il s'ébroua en silence et s'évapora à l'horizon rectangulaire des habitations. Je devenais pêcheur de sirènes, avec un perroquet en guise de canne à pêche. Seuls la pharmacienne et le détective étaient au courant de mes agissements nocturnes. Ils ne me jugeaient pas, ils m'encourageaient, sentant combien cette quête me faisait du bien. C'était aussi excitant et ridicule que de plier un bout de papier pour l'enfoncer dans une bouteille jetée à la mer, mais ce n'était pas pire que de laisser une petite annonce à la pharmacie du genre « Cherche fille invisible, si vous la voyez, merci de me contacter au 06 46 53 26 98 ».

Trop impatient de voir Elvis revenir, je poursuivis mon enquête en collant des affichettes contenant l'un ou l'autre des poèmes un peu partout dans le quartier. Le vent les décollait sans prendre la peine de les lire, la pluie faisait couler l'encre comme du mascara, mais je m'accrochais à mon élan.

Au lever du soleil, le perroquet revint enfin cogner à ma fenêtre. Je lui ouvris, il voleta de paroi en paroi, véritable boule de flipper vivante, avant de se coincer la tête entre les persiennes.

Je claquai des doigts trois fois et il récita les messages qu'il avait enregistrés au fil de ses rencontres. La plupart étaient des rires plus ou moins bienveillants, certains des insultes, d'autres des blagues pas drôles et imbibées. « Oui, oui… c'est moi la fille qui… quoi déjà ? » Le perroquet contenait également un « Je suis le genre de filles qui disparaît quand on l'embrasse et j'aimerais bien connaître la suite de l'histoire » tendrement gloussé, mais c'était la voix de la pharmacienne. « Au fait, c'était Louisa », concluait-elle.

L'élément le plus important était le suivant : toutes les filles qu'Elvis avait approchées respiraient comme des asthmatiques. Le tir du perroquet se précisait.

Chocolisation

Il fallait que je trouve de nouveaux éléments à lui mettre sous la dent pour continuer de faire avancer mon enquête. Je n'avais aucun indice olfactif à lui fournir, mais je pouvais peut-être essayer de recréer le goût du baiser. L'idée était de trouver les ingrédients qui correspondraient à l'ADN gourmand de la fille invisible pour l'inoculer au perroquet. Dans ces moments-là, mon boulet d'ultra-mémoire devenait une arme précieuse.

Je me repassai le film de cette sensation en la décortiquant comme une noix. Ce fameux baiser, comment était-il ? Électrique, suave et doux à la fois. Quels en étaient les équivalences de texture, les degrés de croustillance ? Je me remémorai aussi sa langue, son souffle, l'explosion douce de ses lèvres.

Ces éléments analysés, je me lançai dans l'élaboration d'un bonbon fourré au nectar de baiser et passai la nuit à fouiller-goûter dans l'épicerie très fine qui ouvrait à minuit à l'angle de la rue Brautigan. J'en revins armé d'un chocolat au lait onctueux comme le souvenir de sa langue. Pour obtenir la vivacité fraîche du contact de ses lèvres, il me fallait un fruit. Un agrume, plus précisément. J'hésitai entre la mandarine et le citron bleu, avant de pencher pour l'orange sanguine et son acidité suggestive. J'ajoutai un milligramme de gingembre, par superstition érotique.

Quatre heures du matin, l'heure du goûter nocturne. Mon bonbon fourré au plus petit baiser jamais recensé était prêt. Je le déposai sur ma langue. Il fondit comme on exploserait ! J'avais presque l'impression d'embrasser la fille invisible à distance. Presque.

Curieux d'avis extérieurs, je décidai de le faire goûter au vieux détective. Malgré l'heure tardive, je trouvai Gaspard Neige dans son bureau en train d'écouter Elvis Presley sur son juke-box en bois laqué rouge. Il me servit un Coca sans bulles et se mit à déguster le chocolat avec la concentration recueillie d'un sommelier. Il ferma les yeux, gémit puis dévora la moitié de la boîte en moins de cinq minutes.

Je parvins de justesse à en sauver quelques pièces pour les tester sur Louisa. La pharmacienne rougit quand je lui expliquai qu'elle était en train de manger l'équivalent d'un baiser et me demanda du bout des lèvres si elle pouvait en avoir un autre. Elle était un excellent baromètre érotique. À chaque nouvelle bouchée, son mercure émotionnel grimpait. Elle éclairait désormais sa pharmacie tel un petit soleil à lunettes.

— C'est meilleur que les médicaments, n'est-ce pas ? demandai-je.

— Oh... oui ! C'est... Ah ! Ooooh... étonnant !

Louisa riait, gloussait et couinait de plus en plus fort. Pire qu'Elvis dans la cage d'escalier de l'asthmatique avec son chignon de folle. Me demandant de l'excuser, elle disparut dans l'arrière-boutique. Une hypersensibilité au gingembre, peut-être ?

— Ooooh ! faisait la pharmacienne en transe dans la remise.

Je pouvais lancer la phase 2 de l'opération « Pêche à la sirène ». Je râpai quelques grammes de chocolat que je mélangeai aux graines du perroquet. Elvis se mit à siffler comme une bouilloire et partit telle une flèche hirsute à l'assaut de la lune.

Je l'avais équipé de lunettes munies d'une caméra cachée entre les deux yeux qui me permettaient de visualiser ses trajets. Je découvris surtout à quel point le vieux détective aux cheveux de nuages avait raison : ce perroquet avait un flair hors pair pour repérer les filles « un peu trop jolies ». Il était aimanté par la beauté, et pas n'importe laquelle. Par le charme et par la grâce, par ces femmes qui ressemblent à s'y méprendre à des pâtisseries. Il arrivait même qu'il confonde et se cogne aux vitrines de certaines boulangeries. Sa dyslexie à lui…

Attentat pop-corn

Dehors, il neigeait. En quelques heures, les floconfettis avaient recouvert le quartier. Le cirque d'hiver ressemblait à un gigantesque *donut* saupoudré de sucre glace et les bruits de pas s'assourdissaient sur les trottoirs. Les affichettes que je collais tous les jours sur les murs du quartier se changeaient en tartines de coton ou disparaissaient. L'enseigne électrique de la pharmacie palpitait à peine sous l'épaisse couche de givre.

Le perroquet revint, plus blanc qu'une colombe de la paix. Il sifflait à chaque inspiration, toussait violemment, tremblait, hoquetait comme s'il allait cracher du papier de verre. Il manquait plus que ça, voilà que j'allais être responsable de la mort d'Elvis ! Pour le réchauffer, je l'emmitouflai dans l'atroce doudoune que j'avais achetée pour aller au Canada et qui me faisait ressembler à un pneu crevé, et lui braquai le sèche-cheveux sur la tempe comme un flingue. Sans succès. Il sifflait à la mort. Je me voyais déjà ramener son cadavre gelé à Gaspard Neige.

Je descendis à la pharmacie demander conseil à Louisa, que ma dégaine de bonhomme Michelin laissa perplexe. À l'instant où j'ouvris ma doudoune, le perroquet s'échappa et se mit à tournoyer autour de la pharmacienne comme un moustique autour d'une ampoule. Je dus me mettre debout sur le comptoir pour le récupérer.

— Qu'est-ce que je peux faire ?

— Je ne suis pas exactement vétérinaire...

Elvis ne s'arrêtait plus d'éternuer.

— Si je lui râpais du Doliprane pour mettre dans ses graines ?

— Il ne vaut mieux pas. Vous en avez parlé au détective ?

— Je ne voudrais pas trop l'inquiéter...

— C'est vous le plus inquiet, là ! Attendez un peu, ça va certainement s'arranger, dit-elle en toussotant. Vous voyez, avec ce temps, tout le monde est malade. Sinon, demain vous l'amenez chez le vétérinaire.

— Espérons que tout rentre dans l'ordre. Merci beaucoup, désolé pour le dérangement, et bonne soirée.

— Pas de problème. Bonne soirée !

En sortant de la pharmacie, les sifflements du perroquet se calmèrent d'un coup. Dans l'ascenseur qui nous remontait jusqu'à l'appartelier, une idée me vint à l'esprit. Et si Elvis ne faisait que répéter ce qu'il avait entendu pendant la journée, comme des sifflements asthmatiques par exemple ? Je claquai trois fois des doigts pour vérifier : son hoquet reprit de plus belle. Il éternuait bien sur commande ! Je branchai mon accordeur pour vérifier… Tous les sons qu'il produisait étaient dans la même tonalité : ré mineur.

Je visionnai les vidéos captées par sa caméra invisible, mais il n'y avait aucun enregistrement. Rien. À croire que quelqu'un les avait effacés.

Alors que je tentais de retrouver la trace des prises de vue du jour, j'entendis mon plancher craquer. Une fois. Silence. Une deuxième fois. Puis plus rien. Plus de lumière. Je me dirigeai en maugréant vers le compteur, pensant que les plombs avaient sauté. Mais non, tout fonctionnait. Un bruit sourd résonna tout à coup et la machine à pop-corn se mit en route. Un volcan de maïs soufflé était entré en éruption dans mon appartement ! Je cherchai désespérément à éteindre la machine et quand le silence revint enfin, j'entendis la porte d'entrée se refermer.

Je m'engouffrai dans la cage d'escalier dont chaque marche carillonnait comme les notes d'un piano en bois creux. Mes trois premiers pas sonnèrent do, ré et mi. Un silence, puis je perçus une sorte de contre-chant en trois pas : sol, la, si. Je stoppai net ma course. Rien.

Je posai alors mes deux pieds simultanément sur les marches « mi » et « sol », ce qui déclencha en guise de réponse un chorus reprenant clairement la mélodie de *It's Now or Never*. Ça swinguait comme des claquettes. Je tentai de surenchérir en dansant sur toute une octave d'escalier, mais je manquais de souplesse pour tenir la cadence.

Soudain, je sentis une douce chaleur, deux petits radiateurs vivants blottis contre mon torse qui vrombissaient sous l'effet de la danse. « La température de cette poitrine est légèrement au-dessus de 37 degrés », pensai-je avec les réflexes de mon nouveau cerveau d'apprenti détective. Il doit faire bon se perdre dans une tempête de neige à ses côtés. Je distinguai le tintement-cloche d'un rire soufflé. Le ré mineur de poumons asthmatiques résonna en sourdine. J'écoutai, en apnée, pour ne pas être gêné par le bruit de ma propre respiration. Un hoquet doux retentit à quelques centimètres de mon oreille gauche.

C'est à ce moment précis qu'une très grosse voisine déguisée en ballon de baudruche jaillit de la porte opposée à coups de « C'est quoi c'boucan ? ». Elle hurlait plus fort que si nous avions organisé un ballet avec des éléphants de verre et qu'ils venaient de se casser les uns sur les autres dans la cage d'escalier. Je ne lui répondis pas et le silence revint de lui-même, se répandant sur les marches avant d'envelopper l'ensemble du bâtiment.

La voisine rentra chez elle, pareille à un coucou qui a sonné minuit. Les volutes de grelots asthmatiques avaient disparu, tout comme la sensation de bouillotte contre mon torse.

Je descendis les marches sur la pointe des pieds, auscultai la cage d'escalier. Chaque perturbation dans l'onde de silence, la moindre résonance suspecte, attirait mon attention. Brusquement, la porte de l'immeuble grinça et claqua, net. Je crus distinguer une silhouette mais, dans la rue, il ne restait plus que de la nuit.

Je regagnai mon appartelier au sol recouvert de pop-corn. Je cherchai un message, un code, un indice. Rien, si ce n'était la disparition d'un bon nombre de chocolats sur le moule qui était en train de décuire.

La preuve

Le maïs éclaté et les traces de toutes petites chaussures à talon relevées au poussièromètre dans l'escalier me fournirent les preuves nécessaires : la fille invisible recevait mes messages.

Je chocolisai le perroquet et lui fis réécouter quelques notes de poumons asthmatiques avant de lui apprendre par cœur le message suivant : « *It's Now? Never? or When?* »

Le perroquet revint avec ces quelques mots, esquissés d'une voix plus fine qu'une porcelaine : « Je ne sais pas. »

C'était la première fois qu'un « je ne sais pas » me faisait autant d'effet.

Je n'en revenais pas. Je fis rejouer inlassablement le message à Elvis pour bien m'imprégner de cette voix, qui me paraissait déjà familière. Ô, joie du trouveur d'or ! Geyser de lumière dorée sous forme de mots !

Je lui répondis sur-le-champ : « J'aimerais vous voir. »

Une fois le perroquet lancé en plein ciel, je trouvai mon message à peu près aussi adroit que si je proposais à une aveugle d'aller au cinéma. Mais c'était trop tard.

Elvis fit un aller-retour express. Il se posa sur mon portemanteau pour répéter : « Si j'apparais, vous n'allez pas m'aimer. »

Et moi de répondre par perroquet interposé : « Vous craignez vraiment que je ne vous aime pas ? »

Elvis reparut quarante-cinq minutes plus tard, ébouriffé comme s'il avait mis les doigts dans la prise, et me répéta les mots presque imperceptibles de la fille invisible : « Oh, je ne crains rien. Je préférerais que vous ne m'aimiez pas trop... »

Je relançai immédiatement : « Quel serait le dosage d'amour idéal en centilitres ? Je ferai en sorte de ne pas dépasser votre prescription. »

Et sa réponse : « Je préconise un dosage microscopique. Bons baisers de Paris. »

Sans doute serait-il plus simple de communiquer par textos, même si Elvis était un véritable perroquet wi-fille. Je conclus notre échange en lui envoyant le message suivant : « Pourrait-on se non-voir à nouveau ? »

L'idée de parler à la fille invisible par perroquet interposé croustillait sous mon crâne. Au carrefour des étoiles et des feux rouges, la ligne de transmission avait frémi. Mon cœur et mon cerveau se livraient une partie de ping-pong à questions. Pourquoi l'idée même que je puisse l'aimer lui faisait-elle si peur ? Était-elle amoureuse d'un autre ? L'avais-je déçue ? M'en voulait-elle de lui avoir volé un baiser ? Que se serait-il passé si la voisine n'avait pas fait irruption dans l'escalier ?

Je tentai de récompenser Elvis en lui achetant des graines pour oiseaux de luxe et en lui répétant à l'envi qu'il était le King des perroquets. Du coup, lui répétait en boucle : « Kiiiing ! Perrrrrloquééé. » Pénible. Le lendemain matin, je portai une boîte de chocolats à Gaspard et à Louisa pour les remercier de leur aide précieuse. J'étais tellement content qu'ils avaient l'air inquiets pour moi.

Le soir même, je décidai de suivre Elvis en skateboard. J'avais préparé un attelage de cinq écureuils de combat pour maintenir ma vitesse en cas de crampe au mollet ou si l'oiseau décidait de prendre des raccourcis (les sens interdits étant beaucoup moins nombreux dans les airs). Fin prêt à découvrir le secret de la fille invisible, j'avais enfilé un costume sombre, histoire de me glisser entre les ombres. J'avais la sensation de partir en mission vers une planète inconnue, ou au moins un nouveau quartier.

Le ciel était verglacé, la route pas mal aussi. Je remontai le boulevard Daniel Johnston. En contrebas, la lumière de la lune coulait sur la colonne de marbre de la place de la Pastille. Rue de la Croquette, le perroquet obliqua d'un coup sec. Je haranguai mes écureuils qui se faufilèrent entre les voitures, sautant sur les capots et rebondissant dans la lumière des phares. On aurait dit un incendie de fourrure. Je surfais sur le bitume de la voie de bus, la vitesse augmentait, les roues dérapaient, ça sentait le plastique brûlé.

À l'angle du boulevard Bashung, un bus pointa son museau de colosse métallique. Panique : j'allais trop vite pour freiner à temps ! D'un coup de reins, j'évitai le monstre mais les fils me reliant aux écureuils s'accrochèrent à son rétroviseur et je m'écrasai contre le pare-brise. À l'intérieur, les gens me regardaient comme un putain d'extraterrestre. Je finis par lâcher prise et mon attelage se dispersa façon bouquet final de feu d'artifice. Le bus s'immobilisa enfin, la force centrifuge avec, et je roulai-boulai sur le trottoir, terminant ma course le nez dans le présentoir d'un marchand de journaux tandis que mon skate continuait au milieu de la route. Un rideau de brumes argentées me séparait du reste du ciel. Elvis avait disparu. Les cieux étant beaucoup trop grands, je n'avais plus qu'à rentrer chez moi.

Misirlou

Au moment où le sommeil mettait le dernier coup de vis sur mes paupières, le perroquet vint s'écraser contre la fenêtre. Mon cœur s'emballa à la vitesse du staccato de guitare au début de *Misirlou* dans *Pulp Fiction*. Elvis se posa au bord de mon lit. Je tentai de reprendre mes esprits et claquai trois fois des doigts.

Un son de poumon et un petit hoquet plus tard, je découvris ceci : « C'est moi qui ai disparu sous le coup de votre baiser, et je crois que je vous dois quelques explications… On m'appelle Sobralia ; c'est le nom d'une orchidée qui ne fleurit qu'un seul jour. Le genre à passer le plus clair de sa vie en bouton. Mon père en aurait offert une à ma mère lors d'un séjour sur les flancs du volcan Arenal, au Costa Rica. Les pétales disparurent le lendemain et neuf mois plus tard presque jour pour jour, je naquis. C'était la blague préférée de mon père pour expliquer ma timidité maladive lors des repas de famille. Il faut dire que j'ai toujours été très effacée. Depuis toute petite, j'ai l'impression que les gens ne me voient pas. Dans les magasins, même quand je suis en premier, on me sert en dernier. »

Elvis se mit à répéter la dernière phrase en boucle. On aurait dit un vieux 45 tours rayé. Puis il s'écroula sur le plancher. Raide. Je claquai trois fois des doigts. Pas le moindre mot. Juste du silence et sa foutue tête d'oiseau. Pire qu'une panne de télévision en pleine finale de la Coupe du monde. Je lui dis de tout rembobiner, avant de m'apercevoir qu'il n'y avait plus d'eau dans son bac... Une fois désaltéré, il recommença à parler !

« La première fois qu'un garçon m'a embrassée, je suis restée invisible trois minutes avant de réapparaître. C'était dans la cour de l'école, sous un platane, et le garçon qui venait de m'embrasser en fermant les yeux tournait encore et encore autour de l'arbre pour me retrouver. À chaque fois que nos lèvres entraient en collision, même très douce, je disparaissais. J'ai essayé avec un autre garçon, sous un autre platane. Pareil. En grandissant, le phénomène s'est accentué. Puis je suis tombée amoureuse. Plus j'aimais, plus je disparaissais longtemps. Jusqu'à ce que je me retrouve passionnément amoureuse et invisible en continu.

« Au début, il a aimé ce mystère. Il devait croire que ce côté insaisissable faisait partie de mon charme. Mais à force de me voir disparaître trop longtemps, il s'est lassé. Je sentais qu'il me fallait réapparaître pour ne pas le perdre. J'ai fini par y arriver, mais trop tard. Le temps était passé. Il m'avait un peu oubliée. Après tous ces combats, je ne lui faisais plus le même effet. Je crois que c'est ce qui m'a le plus marquée. Réapparaître après m'être tellement battue pour ça, et avoir l'impression de n'avoir jamais existé.

« J'ai fini par passer à autre chose, mais dès que je tombais amoureuse l'histoire se répétait : je disparaissais. Personne n'avait le temps de m'aimer vraiment. Il arrivait même qu'on m'oublie avant de me quitter ou qu'on oublie de me quitter. La seule fois où je suis parvenue à ne pas trop disparaître, c'est avec un homme qui me faisait assez peu d'effet. J'ai essayé de me convaincre que je l'aimais puis me suis rendue à l'évidence : ne pas trop aimer, c'était la clé pour ne pas trop disparaître, et ne pas trop souffrir.

« J'ai alors commencé à voler des baisers aux gens qui me semblaient sans danger, émotionnellement parlant. Ainsi, je pouvais être visible la plupart du temps et respirer convenablement sans me couper de la société. Mais depuis notre baiser, rien n'y fait, je ne réapparais plus ! Voilà, je crois que vous en savez un peu plus sur à peu près tout. »

Je secouai le perroquet de haut en bas pour qu'il continue, car il arrivait que certains messages restent coincés au fond de sa glotte, surtout quand j'oubliais de lui donner à boire. Il couina de rage et je compris que je ne pourrais plus rien en tirer.

Après de longues minutes à tenter de défaire les nœuds de mon cœur et de mon cerveau, je glissai le message suivant à l'oreille d'Elvis : « Si je vous réembrassais, peut-être que tout s'inverserait ? »

Le perroquet revint à l'aube, porteur d'un nouveau message de la fille invisible, qui commençait par une série d'éternuements en trilles et fusées. Toujours en ré mineur.

« Peut-être, mais on ne pourra s'embrasser qu'une fois. Car au baiser suivant, je disparaîtrai à nouveau. Et je sais par expérience que je ne peux plus me permettre d'apparaître et de disparaître comme si on appuyait sur un interrupteur. C'est ce qui a déclenché mes crises de mélancolasthme. Des hoquets puissants comme des orages de grêle. Je crois qu'à force de m'être allumée et éteinte si fort, mon corps ne supporte plus l'amour. Si j'y retournais, mes poumons grilleraient comme une ampoule.

« Et puis, vous savez, je me suis habituée à vivre comme ça. J'essaye de tirer parti de mon invisibilité. Il y a aussi des avantages. Je peux faire bouger les objets sans qu'on me voie. Je me spécialise dans les maisons hantées et les spectacles d'illusionnistes. Il arrive aussi que je joue au super-héros. Même un grand costaud armé est très désavantagé face à quelqu'un d'invisible. Mais surtout, j'ai peur du bonheur, maintenant. Je sais le mal que je peux faire. L'idée de décevoir m'empêche de vivre une histoire spontanément. Je crois que je ne suis pas née pour vivre les choses dans la durée, à part l'invisibilité. Je me contente de goûter à quelques friandises de temps à autre, mais je respecte les doses d'amour homéopathiques que je me suis fixées. »

« Est-ce que l'on pourrait quand même se non-revoir au moins une fois ? »

« Si vous me promettez de me non-embrasser, pourquoi pas. »

Le monstre de mélancolie

C'était à la fois effrayant et rassurant de se confronter à quelqu'un d'aussi extraordinairement abîmé par l'amour. Un monstre de mélancolie qui se fait peur au point d'accepter sa condition de fille invisible...

Ses souffrances résonnaient avec les miennes et je me blottissais dans cet écho. Comme elle, je présentais un terrain miné par l'explosion amoureuse. Peut-être que si elle savait à quel point nos angoisses se rejoignaient, elle se détendrait un peu. À moins que ça la fasse fuir encore plus vite. Nous avions en commun ces matériaux inflammables, cette prédisposition à la passion, pour le meilleur et pour le pire.

J'aimais sentir que je lui ressemblais, mais son miroir me renvoyait également l'image du monstre que j'étais devenu. Ce déçu jusqu'à l'os trimbalant son cœur en mille morceaux dans une boîte, ce puzzle ambulant qui semait ses pièces chaque jour en acceptant de ne plus les retrouver. On descend parfois si loin sous terre que même l'idée de bonheur effraie. Les yeux du cœur s'habituent à l'obscurité et même la plus douce des lumières devient aveuglante. Je ne savais pas si j'étais capable d'affronter toutes ces peurs. Mais je sentais poindre en moi une nouvelle forme de désir. Nos électricités mêlées provoquaient un étrange cœur-circuit. Ce n'était pas le plus confortable des liens, mais il existait bel et bien.

Sparadramour

On prit rendez-vous à la prochaine pleine lune à minuit devant le 147, rue de la Croquette. J'avais un trac pas possible. J'étais passé chez Gaspard Neige qui m'avait motivé comme un coach. Quant à Louisa, elle m'avait offert une boîte de vitamine C. Très efficace, d'après elle. J'avais cherché en vain un déguisement d'aurores boréales, alors je m'étais confectionné une veste en ourson à la guimauve. Pour les boutons, j'avais utilisé les chocolats inventés pour imiter le goût de ses lèvres. Si elle restait sur ses positions concernant la question du non-baiser, elle aurait quand même un truc à grignoter. Je lui avais également préparé un feu d'artifice portatif de huit centimètres, et pris Elvis sur l'épaule pour qu'il lui déclame :

Sparadramour

J'ai voulu croire que tu n'étais qu'un sparadramour mais lorsque tu as commencé à te décoller de moi, j'ai eu plus mal encore que si on m'arrachait la peau avec une fourchette à escargots.

Arrivé un peu en avance, je me mis à répéter mes effets de feu d'artifice et d'oiseau parleur. Des badauds s'arrêtaient, croyant que j'allais donner un spectacle de rue. Elvis était intenable, il déclenchait ses simulations orgasmiques à l'approche de la moindre crinière brune à boucles souples. Un gamin essayait de manger ma veste en ourson guimauve lorsqu'une mélodie de poumons asthmatiques en ré mineur se fraya un chemin dans le silence entre un klaxon et un bruit de moteur. Le perroquet récita « Sparadramour », et quelques hoquets plus tard, un fragment de lumière rougeoyante se mit à scintiller à 1 m 57 au-dessus du bitume. Deux petits radiateurs vivants se blottirent entre mes omoplates.

— Je suis là.

— Je sais, dis-je en me retournant.

Du bout de mes doigts, je parcourus la circonférence de ses avant-bras. Le contact de sa peau était musical, chaque embryon de caresse me donnait l'impression d'être aux commandes d'un piano aux touches de vent. Je remontai la gamme de ses douces épaules. Elle fit tinter les clochettes de son rire en sourdine, leur volume sonore ne dépassait pas celui de sa respiration asthmatique. Je fermai les yeux, sentis ses cheveux couler entre le pouce et l'index de ma main droite.

Escalader son cou jusqu'au bord des lèvres interdites s'avéra périlleux. J'en grignotai chaque millimètre, avec la concentration de celui qui verse de l'or liquide dans une fiole. Les deux radiateurs vivants enveloppaient mon torse, et ma veste en chocolat était en train de fondre. Mes côtes rêvaient de se transformer en mains pour caresser ses seins-balles. J'entendis son cœur battre dans le vide. Il sonnait. On aurait dit que quelqu'un construisait une ville miniature avec des outils en cristal sous sa clavicule gauche. Je relevai le menton vers son hypothétique menton pour la non-embrasser de toutes mes tendres forces.

— Tu sais qu'on ne peut pas, glissa-t-elle.

— Il est une forme de logique magique à se prendre un vent par une fille courant d'air, je suppose.

— Très cher, attention à la tempête.

— Ça va, je suis bien couvert.

Elle laissa échapper un petit rire, une sorte d'échantillon de complicité gratuit. Le cœur de cette fille invisible était un putain de Rubik's Cube ! J'avais beau le tourner dans tous les sens, je ne parvenais pas à réunir les pastilles de couleurs identiques sur une même face.

— Dis-moi où est la limite de ta bouche, pour que je puisse t'embrasser tout autour.

— On va faire plus simple. Si tu me promets de ne pas bouger, c'est moi qui dirigerai les opérations de non-embrassement.

Je m'immobilisai comme si j'allais être pris en photo en pause longue, mais gardai les yeux fermés.

Je sentis le vent chaud de ses lèvres claquer au bord des miennes. Éclat de pulpe-orange sanguine. Elle enfila des colliers de non-baisers à la commissure de mes lèvres, en remontant jusqu'au bord de mes fossettes. C'était doux, piquant, suave. Incroyablement suave. Et il se réveilla, l'écureuil-garou qui dormait dans mes globules rouges ! Normalement, il s'ébrouait lorsque mon taux de mélancolie dépassait les 80 % et que j'assaisonnais le tout de whisky-Coca, mais là, il jugea bon d'intervenir et planta des fusées de toutes les couleurs à l'intérieur de mon corps. Je la non-embrassai à mon tour. Toujours un peu plus au bord. À chaque nouveau non-baiser, l'écureuil-garou lançait une fusée. Ça sortait de mes yeux par bouquets verts et gris. La rose étrange au fond de mon trou d'obus étirait ses pétales telles les ailes d'un papillon. Pour me désexciter, je fermai les yeux, pensai à la salle d'attente du dentiste et ses magazines de stars périmées. Mais l'écureuil-garou, hilare, foutait le feu à mes idées réfrigérantes et allumait de nouvelles fusées. Plus brillantes, plus rapides, plus nombreuses et beaucoup plus volumineuses. J'étais au bord de transformer les non-baisers en baisers véritables. Mes bras se crispaient de joie autour de sa taille, les siens me rendaient la pareille. Je ne pensais désormais qu'à une chose, compléter ma collection de plus petits baisers jamais recensés.

Soudain, une quinte de toux plus sèche qu'une clé à molette dégringolant un escalier en fer secoua notre étreinte. Puis une seconde, plus profonde, avec ce vent d'asthme qui chuintait entre ses poumons. Son corps crépitait comme une ampoule en surtension. On aurait dit un fantôme rouge argenté incandescent qui mourait pour la deuxième fois. J'avais peur de la toucher, de la casser, de me brûler. J'avais peur. Je voyais des incendies stroboscopiques pousser sous ses paupières, se répandre en flammes bleues. Allait-elle m'exploser à la gueule ? Illuminer tout le quartier ? Foutre le feu à ses cheveux ?

— Je ne peux pas... Je suis désolée.

Sa voix grésillait de terreur. Son corps s'évanouissait entre mes doigts, une à une ses lueurs s'éteignaient. Je tentai de la rattraper, en vain.

Quelques froissements de pas plus tard, je me retrouvai seul face au grand rien. Disparue à nouveau. Évaporée. Je restai là, planté comme un clou tordu, puis m'assis lourdement sur mon skateboard en prenant appui contre un platane. Le bruit de vaisselle cassée produit par sa toux résonnait encore.

Se prendre un vent avec une fille invisible

Se faire non-embrasser par une fille invisible et la sentir disparaître quand même ressemble de très près au comble de la solitude. Je m'en voulais de l'avoir laissée partir et j'avais la cuisante sensation d'avoir tout raté. Mon esprit avait beau chasser cette idée, elle s'imposait comme l'évidence d'un orage à venir quand gronde le tonnerre.

L'élan avait gommé ma peur d'amour un instant. La concernant, c'était peut-être trop. Trop tôt ou trop tard pour toujours. Peut-être que je l'avais effrayée avec mes façons de fusée pas contrôlée. Quoi qu'il en soit, elle n'était pas restée. On pouvait même dire qu'elle était plus-que-partie.

L'espoir lumineux véhiculé par cette fille invisible se dégonflait. L'angoisse me retournait les ongles du cerveau. Mes vieux fantômes faisaient la queue à l'entrée de mon cœur, aiguisant les souvenirs en ombres coupantes. Notamment ce fameux jour de janvier où le robinet à tsunamis s'était ouvert. Je me revoyais, coincé dans la cage d'escalier de mon ancien appartement, dans le noir. Il faisait froid. Les odeurs de nourriture, si familières, glissaient sous la porte de l'ancien chez-moi. Cet ancien chez-moi dont je n'avais plus le droit de franchir le palier. La pluie glacée qui s'abattait sur la rue de la Croquette me transperçait la tête. L'oxygène du ciel entier ne suffisait plus pour respirer.

J'essayais de revenir à moi, mais les sensations de rejet, d'injustice et de manque remontaient à la surface et me paralysaient. J'étais bien placé pour comprendre la peur d'amour que la fille invisible pouvait ressentir ! J'aurais peut-être dû le lui dire.

Ma veste en ourson guimauve avait presque entièrement fondu et je commençais à ressembler à une vieille tartine abandonnée. Tout en trottinant autour de l'arbre, Elvis s'égosillait : « Kiiiiiinnng ! Perrrrrllooooquéééé ! »

France-Grésil

Ce soir-là, je ne pus me résoudre à regagner mon appartelier. Besoin d'échapper à moi-même. Arrêter de penser.

Boire les étoiles au goulot était une technique pour bloquer la machine temporelle. Flouter le passé et le futur quelques heures pour se poser dans l'hyper-présent avec du whisky déguisé en Coca, du rhum caché dans les feuilles de menthe. Je voyais mes démons cavaler à travers les bulles, pieds au plancher comme l'hiver dernier. Je ne pensais qu'à une chose : retrouver un autre temps. Celui d'avant l'explosion de la centrale à rêves. Avant le tremblement de tête, avant les attentats à répétition. Quand on fabriquait des fusées sans ceintures de sécurité. Quand on chevauchait jusqu'à ce que la nuit fonde pour laisser le jour étirer ses grands bras de lumière.

Penché au-dessus du comptoir, j'entendais les rires se planter dans mon dos. J'étais bien trop vieux pour être si con, trop jeune pour être si vieux. La France battait le Brésil

1-0 en match amical mais moi, personne ne me sauverait. Et plus terrible encore, je ne sauverais personne. Il fallait déjà être capable de se sauver soi-même pour prétendre aider les autres. Et ça, je n'y parvenais toujours pas.

Le lendemain, je racontai ce qui m'était non-arrivé à Louisa. Elle me demanda s'il me restait des baisers. Je ne sus quoi lui répondre.

— Des chocolats, je veux dire.

— Gaspard Neige les a tous mangés.

— Pfff... fit-elle en levant les yeux au ciel.

— Et je n'ai pas très envie de faire de nouveaux baisers pour l'instant.

— Oh, ça reviendra, dit-elle avec une tendresse pleine de sincérité.

Elle m'offrit de l'aubépine et me conseilla de prendre une décision à tête reposée.

Le problème c'est que ma tête n'est jamais reposée. Mon cerveau est une maison de campagne pour démons. Ils y viennent souvent et de plus en plus nombreux. Ils se font des apéros à la liqueur de mes angoisses. Ils se servent de mon stress car ils savent que j'en ai besoin pour avancer. Tout est question de dosage. Trop de stress et mon corps explose. Pas assez, je me paralyse.

Mais le démon le plus violent, c'est bien moi. Surtout depuis que j'ai perdu la guerre mondiale de l'amour. Je suis devenu un putain de sapin de Noël de janvier toute l'année, du genre qu'on abandonne sur les trottoirs après l'avoir dépouillé de tout ce qu'on lui avait donné.

Avant d'en arriver là, j'avais par amour accepté de couper mes racines. J'avais quitté ma forêt sauvage pour devenir un arbre domestique. J'avais appris à devenir heureux en appartement avec mes guirlandes électriques pleines de faux contacts. J'avais connu la joie « longue focale » de la projection. La grande aventure d'une certaine normalité. L'ordre des choses. Les plans de chimie amusante, celle qui changeait les rêves d'enfants en rêves d'avoir des enfants. Et c'est l'intensité folle de cet espoir détruit qui me plombait aujourd'hui.

Je me souvenais encore du jour où elle m'avait déclaré sa flemme d'aimer. C'était devant la télé et je n'y comprenais plus grand-chose en la regardant dans les yeux.

Alors les temps s'étaient obscurcis et j'avais commencé à perdre mes aiguilles. D'abord quelques-unes, comme on sèmerait un doute. Puis de plus en plus. Un mikado d'aiguilles sur le carrelage de la cuisine. Mes branches pliaient à force de vouloir porter mille et une illuminations décoratives. Mais quelque chose s'était éteint en elle, et je n'ai pas su le rallumer. Traînant malgré moi ma carcasse sur les trottoirs désallumés de janvier, j'ai cru m'enrhumer pour toujours. Les gens dans la rue se moquaient de moi et de mes guirlandes sans électricité. Je faisais peur avec mes habits de l'hiver dernier et leur odeur de lessive d'un ancien bonheur.

Le problème, c'est l'amour

Je décidai de ramener le perroquet à son propriétaire. J'avais retrouvé, puis reperdu la fille invisible. Cette histoire n'en était pas une. Il était temps de capituler.

— Il te faut continuer à utiliser le perroquet, et ce pour plusieurs raisons, insista le vieux détective avec une gravité que même ses cheveux en barbe à papa ne parvenaient pas à remettre en cause. D'abord pour la beauté du geste. Ensuite parce que tu as fait le plus dur. Tu as retrouvé la fille invisible ! Tu ne peux pas tout lâcher comme ça à la première déconvenue. Parle-moi.

— De quoi ?

— De ce que tu ressens, qui te bloque au point de détaler devant les responsabilités comme un lapin de trois semaines.

— J'ai pas très envie d'en parler... Je tenais juste à vous rendre votre perroquet et vous remercier de ce que vous avez fait pour moi.

— Tu ne vas pas partir comme ça. Allez viens, on va boire un coup !

J'acceptai. C'était ce que j'acceptais le plus facilement à cette époque, aller boire un coup. Arpenter les bars avec un vieil homme qui ressemblait à ours polaire était étrange, comme découvrir un grand-père venu d'une autre planète. Gaspard Neige s'y connaissait en whisky, un peu moins en Coca. Trois verres plus tard, il était parvenu à desserrer l'étau de mon rire. Il me raconta qu'en son temps, il avait fait fortune en piégeant les multiples amants d'Elizabeth Taylor grâce au perroquet.

— C'est quoi le vrai problème ? me questionna Gaspard Neige avec son air de grand copain.

— Je n'y arrive pas avec l'amour. J'aime trop. Je prends tout trop à cœur. Cette quête de la fille invisible m'a donné un certain élan et dans l'excitation de l'aventure, j'ai ignoré mes peurs réelles. Maintenant que la vitesse ralentit, elles refont surface.

— Rien de plus normal, mon garçon.

— Je suis allé au-delà de mes limites et maintenant que ça n'a pas marché, c'est encore pire.

— Tu n'es pas obligé de ne plus avoir peur. Il te faut juste accepter de vivre avec tes angoisses et les siennes. Ne pas les ignorer sans pour autant te focaliser dessus. On en est tous là, me semble-t-il. Et je crois bien que c'est le plus joli problème du monde.

— Ouais...

— Rappelle-toi comme tu te sens bien lorsque tu termines une invention. L'amour est une équation poétique, cher ami ! Tu dois chercher à la résoudre quoi qu'il advienne. Allez, garde Elvis encore quelques jours, on ne sait jamais.

— Et vous, pourquoi avez-vous arrêté le combat ?

— Parce que j'ai perdu ma femme, mon seul véritable amour. Elle est décédée il y a deux ans.

— Je suis désolé.

— Ça m'a brisé... On se remet jamais vraiment de ce genre de choses... J'étais comme un joueur de foot à qui on aurait arraché les pieds. C'est toujours le cas, mais grâce à toi je retrouve une forme d'allant. Je prends du plaisir à t'encourager depuis le bord du terrain. C'est pas comme y être, ça, je ne peux plus. Mais ça me fait beaucoup de bien...

— Je n'ai jamais osé vous demander pourquoi vous viviez seul.

— Lorsqu'elle est partie, j'ai fermé le cabinet. Je n'avais plus le goût à écouter les problèmes d'autrui, trop de bruit dans ma propre vie. Puis il faut reconnaître que depuis quelque temps, les affaires qu'on me confiait... Fugue de chat, fugue de chien, espionnage de voisin. Ça manquait singulièrement de sel ! Je vis seul, certes, mais ma fille m'aide beaucoup. La pauvre, à force de devoir gérer mes angoisses, elle est devenue pharmacienne. Regardez comme elle est jolie !

Il me montra le portrait qui trônait sur son bureau. Une brunette à lunettes dont la longue chevelure dégringolait sur ses épaules. Une brunette à lunettes... qui ressemblait comme deux gouttes d'eau à Louisa, mais sans blouse !

— Louisa ?

— Vous la connaissez ?

— C'est ma pharmacienne !

— Joli prénom et joli brin de fille, n'est-ce pas ?

— Les cheveux détachés elle est... méconnaissable !

— C'est une enfant surprenante, vous savez ! Elle m'en a fait baver quand elle était jeune. Elle était, disons, lunaire. Très effacée et pourtant si têtue. Je ne savais plus comment la prendre, lui parler. C'est grâce à sa mère que nous nous sommes trouvés, petit à petit. Mais aujourd'hui encore, on a du mal à évoquer ce passé.

— Vous dites qu'elle est devenue pharmacienne pour mieux s'occuper de vous ?

— Oh que oui... Sa vraie passion, c'est le théâtre, les livres et la musique, comme sa mère. Elle aime beaucoup les histoires.

— Je sais.

— Et le chocolat, comme son père.

— Ça, je sais aussi !

— Elle est très douée, vous savez. Sa mère était très douée aussi. Elle est surtout connue pour ses nombreux maris, mais c'était avant tout une comédienne extraordinaire. Et dans la vraie vie, elle était si drôle ! Complètement folle et attachante à la fois. Elle avait cette faculté de fédérer, de s'occuper des autres. Pourtant, elle a connu beaucoup de problèmes de santé et la maladie l'a toujours angoissée. Louisa tient d'elle pour ça. À vrai dire, c'est la copie conforme de sa mère.

— Attendez un peu... Mais ce n'est pas possible, ce serait incroyable... Vous parlez réellement d'Elizabeth Taylor, l'actrice américaine ?

— La seule, l'unique, mon garçon !

— Vous étiez son dernier mari ?

— Non, son premier amant. Et malgré les orages et les années, nous sommes restés liés. Très liés.

Louisa

Je récupérai le perroquet sans rien dire, en vérité pas mécontent de sentir ses pattes crochues bousiller ma veste au niveau de l'épaule gauche.

— Eh ! Quoi que tu décides de faire, tu continues les chocolats, hein ? me cria Gaspard Neige dans la cage d'escalier.

Je remontai le boulevard Bashung et pris la rue Camelot. À hauteur du bar Mary Pop-in, mon skate roula sur une de mes affichettes collées au bitume par la pluie. Je la décollai et relus le message à moitié effacé. L'en-tête « Si vous êtes la fille qui disparaît quand on l'embrasse, veuillez me contacter au 06 46 53 26 98 » était illisible. Le petit poème « Je sais exactement ce qu'il manque au meilleur gâteau du monde pour le rester : une pincée de tes seins » se portait mieux. Je fourrai le bout de papier dans la poche de ma veste en pensant à ce que j'allais dire et ne pas dire à Louisa. Finalement j'arrivai dans le Temple du Médicament. La pharmacienne était en train d'expliquer pédagogiquement la posologie d'un médicament à un homme-écharpe débordant de questions inquiètes. J'attendis patiemment mon tour et lui dis :

— Je ne vous remercierai jamais assez de m'avoir donné le contact de Gaspard Neige, Louisa.

— Oh… si, si, vous m'avez remerciée !

— Mais il y a une chose que je ne comprends pas : pourquoi ne pas m'avoir précisé tout de suite qu'il était votre père ?

— Ah, il vous l'a dit, murmura-t-elle en baissant les yeux.

— Il n'a pas fait exprès.

— Je ne voulais pas le décrédibiliser. Je vous recommandais un détective hors du commun, spécialisé dans l'extraordinaire, et je voulais que vous le considériez comme tel. Depuis le décès de ma mère, il ne sort plus de chez lui. Il a mis un terme à sa carrière, personne ne s'intéresse à lui. Ses heures de gloire sont loin derrière. Et voilà que vous débarquez à la pharmacie…

— Eh oui, je viens souvent.

— Quand vous m'avez raconté votre histoire de fille qui disparaît, je me suis dit que c'était une affaire pour lui. J'étais sûre qu'il pourrait vous aider, et que du même coup ça l'aiderait aussi.

— Et vous, qui vous aide dans cette histoire ?

Elle rougit.

— Euh… en fait j'espérais un peu que ce soit vous. Je crois même que je l'espérais beaucoup, ajouta-t-elle dans un sourire nerveux, comme pour combler les blancs qui s'épaississaient de seconde en seconde.

Je ne savais pas quoi répondre, alors je rougis à mon tour. Mi-humains mi-thermomètres au mercure fiévreux, nous regardions partout ailleurs que dans nos yeux. Son regard était braqué sur la caisse enregistreuse, le mien sur le rayon homéopathie. Soudain, la sonnerie agressive de la porte retentit, faisant place à une nouvelle écharpe parlante venue réclamer son lot de paracétamol. Dehors, un grand balai invisible faisait danser les feuilles sous les néons verdâtres de la pharmacie.

L'écharpe ayant fini de renifler-parler-payer, le temps des explications était venu.

— J'aurais dû garder ça pour moi, je suis désolée, soupira-t-elle.

— Mais non, pas du tout, c'est juste que je ne me suis jamais imaginé… enfin, je veux dire…

— Vous lui avez redonné de l'élan, c'est l'essentiel. C'est la seule chose que je voulais, au début. Mon père me rendait visite à la pharmacie et me racontait l'évolution de votre enquête. Il était tout fier. J'étais soulagée de l'écouter s'enthousiasmer à nouveau. Il m'a même fait goûter un de vos chocolats, en m'expliquant que c'était un baiser. Mais ça, je le savais déjà. Je vous voyais passer devant la pharmacie en skateboard avec son perroquet sur l'épaule, j'étais contente.

Louisa Neige reprit sa respiration, s'excusa de s'excuser, et poursuivit.

— Vous, vous n'aviez d'yeux que pour cette fille invisible. Et plus vous vous battiez pour la retrouver, plus moi je vous trouvais attirant. Alors, je vous ai donné l'adresse de la plus belle asthmatique du quartier. Je m'en mordais les doigts, mais je ne pouvais pas m'empêcher de vous aider. Quelque chose me disait que votre fille invisible, au final, ce serait peut-être moi. Mais même quand je rougissais, vous ne me voyiez pas. J'avais beau vous demander toujours des baisers, vous pensiez que je parlais chocolat !

— Je ne voulais pas...

— Bien sûr, ne vous inquiétez pas, dit-elle en toussotant.

Je ne savais pas comment être juste. La tonalité du réconfort m'échappait.

— J'espérais garder tout ça pour moi... Ce serait mieux de ne pas en parler à mon père.

— Bien sûr.

— Merci.

Je me dirigeai lentement vers la porte, avec l'impression de marcher dans des chaussures trop petites.

— Attendez !

Louisa me tendit un carnet relié dans lequel elle avait collé toutes mes affichettes dans l'ordre chronologique.

— Et moi qui croyais que c'était le vent qui les arrachait.

— Mais c'est le vent qui les arrachait ! sourit-elle.

— Merci, Louisa.

Neige tiède

Je quittai la pharmacie avec le carnet sous le bras, troublé par la déclaration de Louisa. C'était une sensation étrange. Comme si je courais après un éternel été sans jamais voir le soleil qui poussait devant ma porte. Ça me rappelait ma toute première histoire d'amour. J'avais légèrement embrassé une fille sur le muret en pierre qui séparait les bâtiments scientifiques et littéraires du collège Camille Vernet. Puis, au fil de nos rendez-vous, elle s'était épanchée sur le garçon qu'elle aimait. Il habitait loin. Dans les montagnes, en Suisse. Il faisait du snowboard, il était grand, musclé et lui écrivait des lettres d'amour sur des photos de lui en train de surfer. Et moi comme un con, je lui donnais des conseils, je la soutenais, je l'encourageais même ! Alors que je ne rêvais que d'une chose : l'embrasser à nouveau. J'avais envie de lui dire que moi, j'étais là, juste là, prêt à inventer la neige tiède et la saupoudrer sous ses yeux pour qu'elle s'intéresse à moi. Je n'ai jamais osé. Je me suis contenté d'entretenir ce lien, ce mieux que rien. Parler de ce putain de surfer suisse pendant des heures. Aujourd'hui avec Louisa, j'étais dans la situation inverse. Je ne voulais pas trop y penser, mais j'y pensais quand même.

Une fois chez moi, je posai la planche de skate sur les accoudoirs du vieux fauteuil afin de me constituer une table d'écriture. Je m'installai sur mon trône de roi en pyjama et secouai cœur et cerveau comme un shaker. Être ou ne pas être… amoureux. Telle est la vraie question. J'avais essayé de détester l'amour pour m'en protéger mais il fallait se rendre à l'évidence : je ne savais vivre qu'à travers « ça ». J'engloutis le reste de la boîte de plus petits baisers jamais recensés. Ils n'étaient pas si mauvais que ça, du moins pour accélérer le rendement de la machine à remonter le moral.

Trouver. Et pour commencer, chercher. La mélancolie grondait et je luttais pour soulever son couvercle de fumée noire. Elvis vocalisait en sourdine sur l'accoudoir, comme s'il attendait sagement que la pâte du souvenir du dernier rendez-vous gonfle et sorte bien cuite sous forme de mots. Gaspard et Louisa m'avaient chacun à sa manière redonné le goût de l'aventure. Je devais tenter quelque chose. Maintenant. Je reprenais du service.

Tu allumes des néons de salle de bains au milieu d'une forêt de conte de fées

Il existe des femmes dont le mystère s'évente d'un seul coup lorsqu'elles se mettent à rire. Comme si quelqu'un allumait des néons de salle de bains au milieu d'une forêt de conte de fées.
Toi, tu fais pousser des forêts de conte de fées dans un bouquet de néons.

Je me débattis avec plusieurs histoires miniatures ce soir-là. Je pensai à Louisa aussi. Trois questions tournaient sous mon crâne comme des boules de loto, et je n'avais jamais les bons numéros. La première était : « Comment convaincre une électrocutée de l'amour de dépasser sa peur pour vivre pleinement son histoire d'amour ? » Sobralia n'avait pas la chance d'avoir Gaspard Neige pour la rebooster quand tout semblait perdu. Elle était invisible, même les gens bien intentionnés ne pouvaient guère l'aider. La deuxième question donnait à peu près ceci : « Comment vivre une histoire d'amour sans s'embrasser ? » Et la troisième, plus insoluble encore : « Serais-je capable de vivre une histoire d'amour avec une fille invisible, vu qu'avec une femme tout court, je ne m'étais pas exactement révélé champion du monde ? »

Et là, c'était au tour de mes propres angoisses de resurgir. Étais-je suffisamment armé pour affronter mes démons ? Les fées-romones pouvaient bien me planter leur baiser-flèche en plein corps, mon cœur, lui, logeait dans les douves d'un château coffre-fort dont j'avais avalé la clé.

Je finis par m'endormir dans le fauteuil, la tête plantée de points d'interrogation.

En pleine nuit, je regagnai mon lit comme un boxeur battu. Je fis escale dans la salle de bains où mes yeux rougis me donnèrent l'impression d'avoir vieilli de dix ans en quelques jours. J'avais faim et dans mon frigidaire c'était le désert de Gobi. Ne restaient que deux yaourts périmés et un plus petit baiser jamais recensé. Je me demandai si les écureuils ne venaient pas m'en chaparder de temps à autre, tant il me semblait en préparer encore et toujours. Un rescapé était perdu là, à côté d'une plaquette de beurre et je l'engloutis dans un demi-sommeil. Le goût du baiser me propulsa si directement du bon côté de ce souvenir qu'une idée me transperça l'esprit. Un éclair de peut-être, violemment joyeux.

Télépathisserie

Si je parvenais à rendre ce bonbon suffisamment magique pour que nous ayons l'impression de nous embrasser sans avoir à nous toucher, j'aurais la réponse à la fameuse deuxième question, voire à la troisième. Et du coup, peut-être que les peurs inhérentes à la première seraient moins fortes.

Le défi était le suivant : changer le chocolat en véritable baiser. Pas seulement un bonbon au goût de baiser : le substitut absolu. Quelque chose qui serait de l'ordre de la télépathisserie. S'embrasser à distance par l'intermédiaire d'un chocolat !

Je préparai les ingrédients et ustensiles nécessaires. C'était comme faire un arbre de Noël vivant. Je me sentais Frankenstein de l'amour. Restait à savoir si le monstre que j'étais déjà n'allait pas se retourner contre moi.

Je visionnai le contenu des lunettes caméra dans un état de fébrilité intense. D'abord une nuit de lumières de phares et un bruit légèrement saturé de battement d'ailes. Puis un petit appartement avec une lampe de chevet braquée sur un lit mezzanine, et cette fameuse voix de fantôme qui tousse. Fort. Souvent. En rembobinant la vidéo du vol au ralenti, puis en faisant un arrêt sur image, je parvins à déchiffrer le nom d'une rue : passage du Rockabilly, et, juste après le départ de l'oiseau par la fenêtre de Sobralia, le chiffre 50 sur une image.

Dans un accès d'enthousiasme, je décidai de m'y rendre sur-le-champ pour tenter de récupérer les 4,5 milligrammes de salive, 3,5 mg d'albumine, 0,20 mg de sel, 0,35 mg de graisse et 0,9 mg de matières organiques qui composaient chimiquement la moitié d'un baiser. Je les mélangerais à mes propres substances avant de les incorporer à la préparation. J'opérerais cette nuit, pendant son sommeil, pour ne pas l'effrayer.

Attention chat méchant !

Le passage du Rockabilly se situait en lisière du 11e arrondissement. Arrivé devant chez la fille invisible, je réussis à ouvrir sa porte avec une radiographie ; je l'avais vu faire par des serruriers quelques mois plus tôt lorsque je m'étais involontairement enfermé dehors.

Pour être le plus silencieux possible, je retirai mes chaussures. Mon cœur battait si fort que j'avais peur qu'il la réveille. Percevant sa respiration courte et sonore, je m'approchai du lit en mezzanine et m'apprêtai à grimper dans cet étrange nid de couette quand j'écrasai la queue d'un chat qui me souffla dessus et me mordit le mollet droit. Il m'avait flanqué la peur de ma vie, ce con-là ! Sobralia laissa échapper quelques soupirs ensommeillés et je me laissai guider par son souffle pour trouver sa bouche. Lorsque du bout de mes doigts je reconnus ses lèvres, je sortis une seringue de ma poche. Elle toussa légèrement. Au moment de la glisser entre ses dents, je tremblai. J'étais en train d'aspirer la salive de la fille invisible ! Mon désir de l'embrasser rendait mes gestes plus engourdis encore. Son parfum de princesse en pâte à crêpes m'enivrait, je me sentais comme un tout petit prince pas tout à fait charmant. Normalement, ces mecs-là sont ultra baraqués, ils ont des bottes et un cheval qui les attend au pied du donjon si ça tourne mal. Moi, j'étais venu en skateboard, et non content de ne pas avoir exactement triomphé d'un dragon rugissant, je m'étais fait attaquer par un chat ! Et d'habitude, les gars, ils réveillent une fille qui roupille depuis une éternité, ils ont donc le temps de bien s'appliquer à l'embrasser pour qu'elle se réveille heureuse comme tout. Tandis que moi, j'étais là, avec ma seringue enfoncée dans la bouche d'une jeune femme terrorisée par l'amour qui toussait à s'en déchirer ses poumons invisibles. Le seul point commun avec un véritable conte de fées, c'est qu'elle finit par se réveiller. Je retirai la seringue in extremis.

— Poupouche ? dit-elle, la voix si pleine de sommeil qu'on aurait dit un disque vinyle passé à la mauvaise vitesse. Qu'est-ce que tu fais, Poupouche ?

Elle ne m'avait jamais appelé comme ça. Je retins mon souffle.

— Miaaaaoouu ! fit le chat.

— Viens là si tu veux, mais laisse-moi dormir un peu...

Agenouillé à quelques centimètres de son corps, je commençais à manquer d'air. J'avais imaginé beaucoup de choses sur cette fille invisible, mais décidément pas qu'elle puisse appeler un chat « Poupouche ». Quelques mouvements de draps plus tard, elle retrouva la respiration du sommeil. Je priai un dieu que je venais d'inventer pour que le chat ne fasse pas le con pendant que j'essayais de quitter le lit. Il me griffa le mollet gauche avant que mon pied ne touche le sol. L'idée de le balancer par la fenêtre me traversa l'esprit. Elle resta même quelques longues secondes ancrée en moi. Il souffla encore une fois mais je parvins à l'esquiver et à atteindre la sortie.

Sparadramours

Pour Louisa
Exemplaire unique

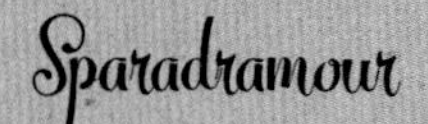

J'ai voulu me faire croire que tu n'étais
qu'un sparadramour,
mais lorsque tu as commencé
à te décoller de moi, j'ai eu plus mal
encore que si on m'arrachait la peau
avec une fourchette à escargots.

Puits d'amour

Tu as creusé un puits d'amour dans mon lit. J'en ai trouvé un autre dans la salle de bains et tu en as même glissé un escamotable dans ma valise. Il me faut apprendre à y puiser sans t'épuiser.

Nichonnier

Ton corps ressemble à s'y méprendre à cet arbre fruitier qui a la particularité de ne produire que deux fruits par vie. On raconte que si on s'endort entre ses branches, on se réveille amoureux.

L'horloge de tes baisers

À l'horloge de tes baisers, le temps se ramollit. Le jour met son pyjama d'étoiles en cachette et s'évapore. L'orchestre à moteur qui fulmine au feu rouge joue en sourdine.
La lune te regarde à travers la fenêtre. Elle va peindre ses reflets sur ta peau. Du bout de mes doigts, je m'efforcerai d'être un tout petit peu plus que son pinceau.

La nouvelle statue de la Liberté

Depuis que la statue de la Liberté a été
remodelée en fonction de ta poitrine,
la fréquentation du site a augmenté
de 85 C pour cent.

La princesse en pâte à crêpes

Quand je danse, c'est comme si
je mettais ton rire au micro-ondes.
Il est prêt en quelques secondes.
Je suis plus raide qu'un très vieux Pinocchio
et tu es plus souple qu'une princesse
en pâte à crêpes.

La réincarnation de Betty Boop

Je pense prouver scientifiquement que tu es la réincarnation en chair et en os de Betty Boop. Tes avant-bras ont la même gentillesse arrondie. Dodus-dynamiques.
Tes doigts sont les pinces d'un crabe très spécial qui aurait été programmé uniquement pour caresser.
Tes yeux sont trop grands, on voit ton cœur à travers quand tu ris.

Jouer au volley-ball avec un oursin

Même quand tu es d'humeur à ne pas avoir l'humour de reconnaître que te parler, c'est comme jouer au volley-ball avec un oursin, tu es encore 67 % désirable.

Larme à gauche

Quand tu pleures, j'ai l'impression d'assister à un enterrement et de recevoir un appel téléphonique. J'ai une sonnerie disco réglée extrêmement fort et l'appareil est coincé dans ma poche.

Nichocolat

Pour Pâques, j'ai trouvé des nichons de sirène. Deux petits œufs de dinosaure en chocolat blanc dans un soutien-gorge en coton submersible. En ce vendredi sein, ils étaient exposés dans un décolleté aux allures de musée. Le plus amusant des musées qui soit, celui où se trouve la muse vivante en chocolat. Deux petits œufs de dinosaure en chocolat blanc.

Ailes-pages

Tous les livres de la bibliothèque se sont envolés. Ils se sont mis à battre leurs ailes-pages et leurs mots se sont imprimés dans les nuages. À chaque fois que l'on s'embrasse, ça recommence.

Tu allumes des néons de salle de bains au milieu d'une forêt de conte de fées

Il existe des femmes dont le mystère s'évente d'un seul coup lorsqu'elles se mettent à rire. Comme si quelqu'un allumait des néons de salle de bains au milieu d'une forêt de conte de fées.
Toi, tu fais pousser des forêts de conte de fées dans un bouquet de néons.

Soutien-rouge-gorge

Le nez plongé dans ton
soutien-rouge-gorge,
j'ai l'impression de nicher
dans un arbre en peau de nuage.

L'incendie de flocons

Penser à toi, c'est comme jeter des flocons dans un feu. Il est une certaine forme de bonheur qui me fait peur à peu près pour toujours.

Biscuits

Ce soir, je pense assez sincèrement que
tes pieds sont des biscuits.
Pendant que tu dormais, je les ai déposés
dans un moule à gâteau puis j'en ai fait
des cookies aux smarties rouges de taille 35.

Crème anglaise

Te faire l'amour, c'est comme galoper
debout sur une horde de chevaux
sauvages en peau de crème anglaise.

Cœur de pop-corn

Ton cœur est un grain de maïs soufflé. Il suffit de le réchauffer et d'y ajouter un peu d'huile de bonne volonté pour qu'il fleurisse tout en pétales de peau. Sucrés ou salés selon l'humour du moment. Tu le fais sauter entre mes doigts presque toutes les nuits. Je ne sais pas comment tu fais pour que ce soit à chaque fois aussi bon.

La très Belle au bois dormant

Ta bouche est somnambule. Elle bouge en silence dans ton sommeil. Tes lèvres semblent vouloir dire quelque chose d'invisible, je les embrasse au cas où. On dirait la Belle au bois dormant dans un appartement du XIe arrondissement. Je vais la réveiller d'une façon un peu plus moderne que prévu.

Loto de la poésie

Enlever ton soutien-rouge-gorge, c'est comme trouver Platini en vignette Panini. Ça a quelque chose à voir avec gagner au loto de la poésie.

Le prix Nobel de l'amour

Pour le dressage d'un écureuil sauvage sans
le couper de son milieu surnaturel.
Pour les multicoiffures que tu cuisines sur le
haut de ton crâne façon pièce montée et toute
la force amusante qui palpite juste en dessous.
Pour 217 autres raisons exactement folles
et parce que tu es le plus joli petit poème
de cul vivant, il est grand temps de te décerner
le prix Nobel de l'amour.

Merci à Olivia de Dieuleveult et Rosemary Teixeira
d'avoir cru à mon histoire de fille invisible
et de m'avoir aidé à la faire apparaître.
Merci à Lisa Carletta, Djohr Guedra pour les images,
et Sylvain Blanc pour la chocolisation.

Chocolisation, deuxième !

De retour à l'appartelier, j'attaquai la nouvelle formule du plus petit baiser jamais recensé. Pour commencer, je fis durcir le chocolat au fond d'un moule à alvéoles. Puis je mélangeai le contenu de la seringue renfermant la salive de Sobralia à la mienne. Je fis cuire le tout avec un peu de sucre et beaucoup de jus d'orange sanguine pour une caramélisation à 107 degrés plutôt que 108, afin d'obtenir une sensation plus proche de celle du baiser. J'attendis que le tout refroidisse et que mon rêve se cristallise.

Le jour se levait quand le chocolat fut prêt à consommer. Il se démoulait sans accrocher et brillait comme une bille d'onyx. L'orange sanguine apparaissait en spirale sur le chocolat noir. En le regardant de près, on aurait pu croire qu'il vibrait. Je pris mon pouls avant de me lancer dans la dégustation. 70 battements par minute. Un embrassement moyen peut doubler la fréquence cardiaque. J'attrapai un plus petit baiser jamais recensé entre mes doigts et le croquai d'un coup d'un seul en fermant les yeux.

Explosion de saveurs ! Le goût des lèvres, le bout de la langue électrisante plus puissante qu'une armée de coups de foudre. L'esquisse de court-circuit. Le taux d'humidité incroyablement proche de zéro, quelque chose de l'ordre de la poussière d'ombre. Le frisson doux et vivant, qui interdit l'ouverture des paupières de longues secondes après l'impact pour enregistrer le plus clairement possible la sensation de plaisir… Je repris mon pouls, il était de plus de 150 battements par minute. Et il ne décélérait pas car je ne pensais plus qu'à une chose : le faire goûter à Sobralia.

Je m'empressai de retourner au 50, passage du Rockabilly. Je sonnai. Personne. J'attendis quelques secondes. Il y avait du bruit dans l'appartement. Je sonnai encore. « Une minute, une minute, j'arrive », dit une petite voix.

— Je passais juste vous faire goûter un chocolat, criai-je à la porte d'entrée.

— Ah, merci, mais j'en ai encore de Noël dernier !

— Celui-ci est un peu particulier. Il a un goût de baiser et permet de s'embrasser à distance, sans avoir à se toucher.

— Non, merci, vraiment…

— Je l'ai inventé pour vous.

— Je ne peux pas vous faire entrer, je ne suis pas… présentable !

— Je suis désolé de faire le témoin de Jéhovah, mais j'aimerais au moins que vous goûtiez ce chocolat, une fois. Si ça ne fonctionne pas ou que ça ne vous plaît pas, je disparais, c'est promis !

La porte s'entrebâilla et je me retrouvai face à son tigre miniature. Je tendis le fameux bonbon sphérique.

Je sentis une pression et un chatouillis délicat dans le creux de la main avant de voir le chocolat s'élever doucement et effectuer une courbe lente dont le bout de ses doigts dessinait le périmètre.

— Je n'oserai jamais le goûter devant vous…

— Je comprends. Je vous en laisse quelques-uns, au cas où ?

— Oui, si vous voulez. Merci…

Je descendis les escaliers de son immeuble en me disant que cette fois c'était sûr, la fille invisible allait le rester, elle ne voulait pas de moi.

Tout à coup mes mains devinrent froides et blanches. Des frissons cadenassèrent mes reins. Un début de pétillement au bout de ma langue, vif comme un éclair. Je sentis ses lèvres s'enrouler autour des miennes de façon extraordinairement réaliste. Je remontai les marches quatre à quatre et atteignis le cinquième étage essoufflé comme une vieille. Je n'osais pas sonner une nouvelle fois. L'effet du baiser redoublait d'intensité, comme si elle venait de goûter un deuxième bonbon.

La porte s'ouvrit. Je tendis les bras pour essayer de la toucher, mais rien. Je n'arrivais pas à profiter pleinement de la sensation car je craignais qu'elle se mette à tousser.

— C'est délicieux, glissa-t-elle tandis que son chat bondissait du canapé.

— Comment vous sentez-vous ?

— Embrassée !

— Et les poumons ?

— Normaux.

— Sensibles ?

— Moins que le cœur.

— Parce que c'est le cœur qui vous fait tousser d'habitude ?

— Avec vous, j'en ai peur.

Ping-pong love

La période qui suivit généra un taux de joie insensé. Nous mangions énormément de chocolats et passions le reste de notre temps à en préparer. Cet appétit électrique nous tenait en équilibre juste au-dessus des doutes. Nous construisions ainsi notre début d'histoire en bordure des chantiers-catastrophes que chacun avait traversés de son côté. Passé l'élan de la conquête, vint le temps de la stabilisation. Une étape délicate dont j'appréciais la sensation d'amorti tendre, mais qui ne faisait pas de moi un homme guéri. Couple. Quotidien. Projection. Futur. Autant de mots que j'avais pourtant rayés de mon vocabulaire avec une plume bien aiguisée.

J'avais installé un petit filet de ping-pong sur la table de la cuisine. Nous faisions des matchs et elle riait comme un courant d'air après chaque point réussi, qu'elle le gagne ou qu'elle le perde. Je n'entendais que ça : son rire et le bruit des balles de ping-pong. Sa raquette flottait au-dessus de la table et je ne savais jamais vraiment quand elle allait servir. Nous avions instauré des règles magiques pour ces parties de ping-pong. Le gagnant pouvait faire ce qu'il voulait du corps de l'autre, sauf l'embrasser sur les lèvres. Il arrivait que le perdant soit aussi heureux que le gagnant.

Faire l'amour avec une fille invisible ressemble à une séance de spiritisme érotique. Au début on fait semblant d'y croire pour que ce soit excitant, et à la fin on prétend ne pas y avoir cru pour se rassurer[1]. On imite les gestes de l'amour, on se regarde faire. On redécouvre les joies du souffle et du toucher, comme avec un nouvel instrument de musique vivant. On ne sait pas trop en jouer, mais il y a le charme de la nouveauté...

De temps à autre, de vieux réflexes de couples normaux me remontaient au cerveau. La prendre en photo par exemple. C'était le genre de gaffes que je pouvais faire dans un élan d'enthousiasme. « Oh, tu sais, j'ai pris l'habitude de ne pas être photographiée, même petite mes parents ne le faisaient jamais, me répondit-elle. Je crois que mon père en a une, s'il ne l'a pas perdue... »

Nous essayions de ne pas nous marcher sur les pieds, au sens propre comme au figuré. Vivre avec une fille invisible, c'est boire un sérum de surprises à longueur de journée. On

1. Car c'est effrayant de volupté.

ne sait jamais quand elle est là, quand elle arrive, quand elle s'en va. Elle peut vous effleurer au creux d'un somme, vous mordre les fesses en pleine rue, passer sa main de fantôme dans vos cheveux et ne plus faire un bruit pendant plusieurs heures d'affilée. Cela apprend à accepter l'idée d'inconnu et de nouveauté, oblige à remettre en question ses préjugés, et toute forme de rigidité confortable disparaît. C'est l'ultra-présent qui prévaut. La dimension de jeu et de créativité donne de l'élan et fait passer le temps en accéléré, ce qui est jubilatoire, mais demande énormément d'énergie. C'est très angoissant aussi car rien ne s'entérine, tout évolue, explose, se casse et se recompose au fil de la découverte. Même dans ma propre salle de bains, je vivais dans une maison hantée. La porte du frigidaire qui s'ouvrait toute seule, les œufs qui sortaient en apesanteur avant de se briser et de se jeter dans un saladier lorsqu'elle préparait une omelette, la couette qui ondulait tel un fantôme molletonné, je ne m'y habituais pas.

La vie avec la fille invisible ne tenait qu'à un fil, mais qui avait l'avantage de ne s'être jamais rompu. Nous nous faisions croire que nous étions un couple comme tout le monde, même si j'étais devenu une créature de la nuit.

À vivre trop longtemps avec un bunker à la place du cœur, on s'habitue à l'obscurité. La lumière naturelle me rendait nerveux. Les terrasses de café remplies à ras bord me donnaient l'impression de faire partie d'un décor de cinéma. Je n'avais pas forcément le sentiment d'être dans le bon film. Mais quand venait le soir, mon humeur s'améliorait. Mon horloge d'adrénaline interne fonctionne mieux quand le bitume s'allume, crache des larmes d'or, devient la lune. Et Sobralia qui ne pouvait se passer de soleil ! Lorsqu'on se promenait dans la normalité douce d'un quatre heures de l'après-midi, on aurait dit qu'elle sortait son loup-garou. J'avais une dégaine d'écureuil dans un costume trop petit. La peur au ventre et à peu près tout le temps envie d'aller au cinéma. Elle était beaucoup trop belle pour moi dans sa robe si transparente qu'on ne la voyait même plus. Ni elle ni la robe ni rien. Alors parfois je sortais une loupe de ma poche et m'approchais d'elle. « Je te vois ! », je lui disais.

Lorsque nous sortions boire un verre ensemble, les gens me prenaient pour un schizophrène ou un ventriloque répétant un hypothétique spectacle. On m'appelait « l'homme qui parle tout seul ». On me regardait sans me regarder, on se retenait de rire au cas où je sois vraiment handicapé.

À force de prétexter un quelconque spectacle pour pouvoir discuter tranquilles dans les lieux publics sans que j'aie l'air mûr pour Sainte-Anne, nous avions monté un petit cabaret magique. Sobralia était mon trucage de l'ombre, faisait bouger les objets pour moi. Elle chantait, ce qui me permettait de produire un étonnant effet de ventriloquie. Je pouvais faire apparaître et disparaître à peu près n'importe quoi grâce à elle. Nous avions un certain succès. Le spectacle débutait par une course d'écureuils de combat. Un 110 centimètres haies. Les gens pariaient et encourageaient les écureuils en buvant du whisky. Lorsqu'ils franchissaient la ligne d'arrivée, je/nous les faisions s'envoler en claquant des doigts. Le public hurlait. Les duels au pistolet à grenouilles avaient également beaucoup de succès, mais le clou du spectacle restait l'harmonica volant. Le petit instrument flottait dans l'air. On aurait vraiment dit qu'un fantôme jouait là, devant vous.

Gaspard Neige était venu nous soutenir, il était fier comme un papa bizarre. Nous avions fait monter le vieux détective sur scène pour qu'il fasse une démonstration de ses talents de dresseur de perroquet. Il chantait a cappella *It's Now or Never* avec Sobralia qui officiait aux chœurs invisibles et c'était beau à pleurer. Des filles plus jeunes que sa propre fille vinrent le complimenter à la fin du spectacle. Il rajeunissait à vue d'œil.

Un soir, je proposai à Sobralia de révéler sa présence au public, d'expliquer mon truc, car je me sentais redevable de tout ce qu'elle m'apportait. Mais elle refusa :

— Le public va te prendre pour un fou ! Personne ne te croira et ça nous rendra tristes.

Une nuit, nous fûmes tous les deux réveillés en sursaut.

— Quelque chose me pique sur la langue ! me dit-elle la voix pleine de sommeil.

— Moi aussi !

— Ça pique !

Un de mes écureuils de combat s'était faufilé sous la charpente et s'affairait sur un plus petit baiser jamais recensé. Il le grignotait avec ses façons de rongeur, ses mains d'humain miniatures plantées dans le caramel fondu. Je le fis dégager en lui soufflant dessus comme un chat et la sensation de picotement disparut sur-le-champ. Elvis, lui, nous réveillait de très bonne heure en reproduisant au souffle près nos ébats de la veille.

Si son invisibilité lui procurait une grande liberté, Sobralia vivait comme un véritable fantôme. Elle s'était attaché un petit grelot autour de la cheville, pour que je la localise à l'oreille. Sobralia avait beau jouer les magiciennes, c'était compliqué pour elle d'échapper au piège qu'elle s'était tendu depuis le plus petit baiser jamais recensé.

Les mois passaient. Personne dans mon entourage, à part Gaspard et Louisa, ne la connaissait. Et même eux ne l'avaient jamais « vue ». Nous vivions dans un formidable cocon, intense et tendre, mais notre vie sociale était inexistante. Elle payait son amour pour moi au prix fort et me demandait souvent : « Tu n'es pas frustré de ne pas me voir ? » Bien sûr que c'était frustrant. Je ne connaissais pas sa façon de marcher, ni l'expression de son visage correspondant à la joie, au rire ou au doute. Je les voyais, les autres filles plus-que-visibles, arpenter les trottoirs au bras de ces hommes qui semblaient si à l'aise et décontractés.

Il était des moments de crise où vraiment j'avais besoin de la « voir ». Ne serait-ce qu'échanger un regard. Je rêvais d'inventer un interrupteur magique qui la fasse s'éclairer d'un coup, comme la tour Eiffel à la nuit tombante. Le matin, je me réveillais avec son corps chaud enroulé dans mon dos. L'espace de quelques secondes, je croyais que je la verrais en me retournant. Peut-être que je l'espérais un peu trop. Je commençais à désirer des choses simples et naturelles. La voir sortir de la salle de bains et observer sa façon de planter des barrettes dans ses cheveux. L'embrasser vraiment, sans avoir à passer par le chocolat. Pêcher au fond de ses yeux pendant l'amour, aussi. Ne pas me demander si elle était « vraiment avec moi ». Je ne parvenais pas toujours à la rassurer. Je ne parvenais pas toujours à me rassurer non plus.

La boîte à chaussures

Puis un événement survint qui bouleversa tout. Un jour, je trouvai une boîte à chaussures déposée sur mon paillasson comme un truc de cigogne bizarre. Je l'observai sous tous les angles, car on aurait dit un colis piégé, puis secouai le carton en approchant mon oreille. Le fracas qu'elle faisait m'était étrangement familier. Pareil à un vieux mal de dos qui se réveillerait. La boîte paraissait neuve et abîmée à la fois. Le carton pliait légèrement dans les angles, comme les premières rides au coin des yeux d'une jolie fille. Quelques secondes plus tard, je compris : cette boîte appartenait à la bombe d'amour qui m'avait explosé à la gueule en janvier dernier. Les morceaux de mon ancien cœur se trouvaient à l'intérieur. Je le sentais battre comme avant, avec cette manière de palpiter trop fort et d'emporter le reste de mon corps. La musique de ce son me terrifiait. Cette odeur d'ancien bonheur encore chaud qui me faisait froid dans le dos. Pourquoi me l'avait-elle envoyée ? Et pourquoi maintenant, alors que je commençais à peine à me reconstruire ? Je ne pus résister longtemps à l'envie d'ouvrir le couvercle. C'était tendre et morbide à la fois de se reconnecter de façon aussi précise avec les sensations du passé.

Mes souvenirs sortirent de leur tombe tels des zombies un soir d'Halloween. Un puzzle désordonné et sans vie, qui comptait des centaines de pièces microscopiques tant ce cœur avait volé en éclats et me rappelait au passé, avec ses joies brûlantes mêlées de désillusions. Je me sentais comme un revenant qui avait été très gourmand dans une autre vie et à qui on servait son ex-pâtisserie préférée. Sous les morceaux de mon cœur, il y avait des photographies que j'avais prises à l'autre époque. Elle, nous. Des habits à moi gentiment pliés comme des cadavres de tissu. Ils sentaient l'autre lessive. Ils sentaient l'ancien placard.

Elle s'était appliquée pour que tout rentre bien dans la boîte. Bien sûr, ça ne rentrait pas. Car ces années de vie partagée ne seraient même pas compactables dans un camion poids lourd. Je sentais sa gentillesse qui me piquait les yeux encore plus fort que si elle m'avait tout balancé par la fenêtre. Le respect plein d'application maladroite filtrait à travers chaque millimètre de cette putain de boîte. C'était plein d'attention, d'intentions. Ne manquait plus que le papier cadeau. C'était pourtant bien elle qui avait décidé de me quitter. Tout décidé. Quand, comment, mais pas vraiment pourquoi. Je n'avais toujours pas compris. Je n'avais toujours pas réalisé. Je m'étais battu comme un très vieux chien enragé. Contre moi, contre elle et contre notre petit monde. Plus j'essayais de nous sauver, plus elle s'éloignait. Jusqu'à ce qu'elle décide de disparaître. Je l'aimais. Et même en l'aimant à l'envers, je ne parvenais pas à la détester.

J'avais appris à vivre avec ce trou à la place du cœur. Inventer encore et fabriquer du neuf pour ne pas sombrer. Seul le plus petit baiser jamais recensé était parvenu à s'infiltrer significativement dans les interstices du béton armé que j'avais coulé dans mes artères. Peu à peu j'avais tenté de faire une petite place à Sobralia parmi les décombres. Et voilà que la bombe d'amour que j'avais cru désactivée lançait un nouveau décompte. « Je voudrais revenir avec toi. J'aimerais qu'on se voie pour en discuter », avait-elle écrit au fond de la boîte. Elle ne savait pas trop ni quand, ni comment. Pourtant le fait est qu'à sa façon, elle revenait.

Je ne savais plus quoi faire. Je ne savais plus quoi penser. Je ne savais plus qui aimer. Je ne savais plus rien car je ressentais exactement tout à la fois. Je savais très bien qu'en ouvrant le couvercle de cette boîte, je risquais de provoquer des tempêtes. Cette situation me terrorisait doublement. D'un côté, je culpabilisais pour Sobralia ; de l'autre, l'idée de revoir la bombe d'amour me pétrifiait.

Mais je ne pouvais m'empêcher d'aller voir. Une sorte de joie enragée me poussait. Mon grand amour était de retour. Revenu du pays de mes fantômes ! Il fallait que je me confronte à elle. L'aimant du passé se réactivait. L'orage magnétique menaçait, m'appelait. Il emportait toutes les particules de mes pensées. Quoi qu'il arrive, je ne pouvais pas ne pas y aller.

On se donna rendez-vous un après-midi pour en « discuter ». Un bar en terrain neutre, ni dans mon quartier ni dans l'ancien nôtre. En traversant la place de la Pastille, j'eus l'impression de tituber sur un lac gelé. Sur ce rivage, une fille invisible m'ouvrait les bras. De l'autre, une femme-plus-que-visible réapparaissait. Sept ans de rêves plus grands que la réalité devenus accident d'amour contre une histoire toute neuve avec quelqu'un qui essayait de me sauver. Je glissais, je dérapais. Le vent forçait, se faisait contraire, fabriquait des tourbillons. Une odeur de feu me prenait à la gorge. Au milieu du lac, la glace craquelait. Il faisait si noir que je ne savais même plus où me diriger.

Pour Sobralia, ce fut un attentat. Je grésillais comme un faux contact en lui expliquant la situation. Nous étions dans le lit, pelotonnés comme deux tortues dans la même carapace. Le son de sa voix enseveli sous la sensation d'injustice brûlante. Dire que j'avais tellement souffert de ce sentiment, et que j'étais en train de le générer à mon tour… Mais j'étais incapable de désamorcer le nouveau décompte de la bombe d'amour. Le détonateur était logé dans mon cerveau. Personne ne pouvait l'atteindre. En tout cas, pas tout de suite. Je le savais, elle le sentait.

Elle souffrait de ne pas parvenir à accélérer ma guérison, mais travaillait tous les jours à assembler les pièces de mon passé, les recoller avec mon présent pour que l'idée de futur puisse se dessiner dans ma tête. Elle travaillait doux. Elle se faisait baume et ça me faisait du bien. Elle devenait plus qu'un sparadramour. Elle m'avait fabriqué un château de sable à trois tours avec pont-levis en coquillages nacrés. Mais le jour où je reçus la boîte à chaussures par la poste, la vague du passé le réduisit à un tas de boue. J'étais en train de revenir à l'état de miette dans lequel elle m'avait trouvé.

Son invisibilité augmentait sa sensation d'impuissance, c'était notre histoire qui risquait de disparaître pour de bon. Le grelot qu'elle avait installé autour de sa cheville n'arrêtait plus de sonner, si bien que je distinguai à peine ses mots quand elle me dit « Si tu as besoin d'aller voir, vas-y. *Go, go and see my love…* »

Il y eut un silence, le genre qui résonne juste avant une explosion. Quelque chose de presque relâché dans les micro-mouvements de son corps lové contre le mien.

— Eh, mais c'est pas une réplique du *Grand Bleu*, ça ?

— Si...

Je l'entendis sourire, à moins que ce ne soit à nouveau le son du grelot.

Retour vers le passé

Je ne supportais plus de porter mes vêtements de l'année passée, du coup, en ce faux dimanche de printemps, je me présentai au rendez-vous avec la bombe d'amour en moi du présent. Un pantalon plus serré, des chaussures plus pointues, une veste plus ajustée. Un look globalement plus aérodynamique pour se faire croire qu'on avance.

« On n'apprend rien. » Telle était la conclusion amusée d'une discussion sur l'amour avec Gaspard Neige. Quand mon non-cœur s'était remis à battre pour la fille invisible, il avait déclaré « On n'apprend rien », avec sa tête de vieil ours enneigé et son sourire entendu.

— On recommence toujours les mêmes conneries ! Mais on s'améliore un petit peu.

— En pire !

— Eh oui...

« On n'apprend rien. » Ces quelques mots résonnaient dans le trou d'obus à la place de mon cœur quand la bombe d'amour apparut.

Elle était assise précisément comme elle s'asseyait avant. Pourtant, nous étions maintenant. Toutes ses petites manières si normalement intactes me paraissaient surnaturelles. Le bonheur et le malheur me sautèrent à la gorge en même temps. Je m'approchai, elle leva les yeux vers moi et nous nous sommes « vus ». Elle portait un sac de 150 kilos de doutes sur les épaules. Je ne sais pas lequel de nous portait le plus lourd. C'était effrayant et rassurant à la fois. Elle avait toujours ses petits airs d'arbre en fleur, avec ce je ne sais quoi de feuille morte au fond du regard. Une douceur brûlée. La bombe d'amour me dit qu'elle m'aimait encore et souhaitait revenir avec moi, mais pas si vite. Elle me proposait de faire ça étape par étape. La première consisterait à déposer plainte l'un contre l'autre à la gendarmerie des sentiments.

Ou, pour reprendre ses mots, à « parler devant quelqu'un qui aurait le recul nécessaire pour ne pas être partie prenante ». Déposition. Désarmement. Pour « voir » si quelque chose était encore possible entre nous. Le rendez-vous était pris pour la semaine suivante. À moi de voir. Pour la forme je prononçai un oui minuscule.

Je quittai celle qui m'avait quitté pour retrouver celle qui ne tarderait pas à le faire si je restais indécis. Ma vie était en train de se dédoubler. Les décomptes amoureux m'apparaissaient comme deux sabliers distincts, mais communicants. Chaque seconde passée à penser à la bombe d'amour vidait le sablier du temps qu'il me restait à vivre avec Sobralia et vice versa. Le compte à rebours était lancé.

Slalom spécial

— Mais qui aimes-tu ? C'est ça, la question, la seule question d'ailleurs ! me demanda Gaspard Neige, que je consultai jusque tard dans la nuit ce soir-là. Qu'est-ce que tu sens au fond de toi ? Comme ça, sans réfléchir, sans prendre en considération le temps, le mal que tu pourrais faire ou te faire... Si tu fermes les yeux et dis un nom, c'est lequel ?

— Ouh la, on se croirait dans un Indiana Jones !

— Pardon ?

— Oui, quand il doit choisir le Graal et qu'il prend le truc en terre cuite qui ressemble à un coquetier merdique plutôt que toutes les autres coupes qui brillent comme des trophées de Roland Garros.

— Ce serait amusant en même temps de voir un tennisman venant de gagner un grand tournoi brandir un coquetier merdique devant les caméras du monde entier. Mais bon, sans réfléchir, là, tout de suite, avec qui tu voudrais être ?

— Je sais pas.

— Allez ! Là comme ça d'un coup ! Bam !

— J'y arrive pas. Si je pouvais, je me couperais en deux !

— C'est déjà ce que tu fais un peu, sauf qu'il y en a deux qui se coupent en quatre pour toi et qu'aucune des deux ne voudra d'une moitié de toi.

— Je sais... que je ne sais pas. C'est la seule chose dont je suis sûr.

— Alors, prends ton temps. La bombe d'amour qui t'a explosé à la gueule peut attendre un peu cette fois. Elle ne t'a pas demandé ton avis quand elle est partie. Elle a décidé et elle l'a fait. Si tu n'es pas prêt, tu n'es pas prêt ! C'est pour la fille invisible que je trouve la situation plus délicate. N'attends pas trop quand même. Sinon, tu vas faire mal à tout le monde à la fois.

Je remontai le boulevard Daniel Johnston jusqu'à la rue Brautigan. Je me sentais comme un Indien enragé dont chaque pied est posé sur le dos d'un cheval sauvage. Ils commençaient à s'écarter, il fallait que je décide de sauter sur l'un ou sur l'autre, vite. Le galop résonnait dans le bunker à la place du cœur. Une armée de chignons avait envahi les terrasses des cafés. Elles avaient toutes le même. Légèrement desserré sur le haut du crâne avec les lunettes en guise de barrettes. Les hommes les affrontaient en douceur du haut de leurs étranges pantalons trop courts. La barbe et les mocassins vernis étaient en option. Louisa, de garde ce dimanche à la pharmacie, me fit son habituel petit geste de la main + semi-sourire en regardant par terre. L'ascenseur qui menait à mon appartelier était en panne. L'escalier aussi. Je trouvai les marches tellement difficiles à escalader que je crus gravir un escalator à l'envers. Les lumières du troisième étage ne s'allumaient plus. Je faillis me perdre devant mon paillasson.

C'est maintenant ou jamais

Alors tout le monde a eu mal et tout le monde a fait ce qu'il a pu. Avec ses plaies, ses regrets, ses nouvelles joies et le temps qui passe. Plus lent et maladroit qu'un escargot préhistorique un instant, puis, l'instant d'après, rapide comme le vent, histoire de faire semblant de rattraper ce qui restera à jamais perdu.

La bombe d'amour et moi nous retrouvions épisodiquement à la gendarmerie des sentiments. Chacun sur un siège à dire tout le mal et parfois le bien que l'on pensait l'un de l'autre. Un arbitre de l'amour en pantalon clair, chaussettes de tennis et mocassins nous écoutait souffrir et rire un peu. Il était intelligent mais ne servait à rien, comme une clé de douze qui essaye de faire tourner des micro-boulons. En tout cas, je ne parvenais pas à utiliser ce qu'il proposait. De l'amour sur ordonnance. Des doses à respecter. « Qui a commencé à briser le cœur de qui et pourquoi ? Qui fait ça bien, pourrait faire ça mieux, quand, comment et pourquoi ?

Avait-on le droit ou pas ? » Confiance ? Inconscience ? Priorité, propriété, que mettre dans le « panier du couple » ? Faut-il toujours compter ? Même en amour, équilibrer des budgets ?

J'avais dépensé des colères, j'avais été con, généreux, doux, angoissé. J'avais aimé. Éperdument. J'étais vivant. Cette espèce d'analyse du film de notre histoire était censée nous permettre de nous comprendre. En réalité, elle écrasait ce qui restait de subjectivité magique. Nous avions été des amants si instinctifs, de tels flambeurs du cœur ! Se retrouver comme ça à faire les comptes et à tout intellectualiser ne nous convenait pas du tout. Je voyais bien qu'elle souffrait autant que moi. Surtout depuis qu'elle savait pour Sobralia. Elle avait beau nous avoir précipités dans cette tempête, elle en subissait aujourd'hui les conséquences.

Au final, les meilleurs moments se passaient dans le couloir. Lorsqu'on parvenait à rire un peu de la situation, à se chambrer. Ou ces quelques fois où, autour d'une assiette de frites, nous parlâmes d'autre chose que de nous et notre problème. Dans ces petits moments simples, l'ancienne complicité douce réapparaissait, de manière naturelle.

Et puis on se disait au revoir sur un bout de trottoir, et elle retournait dans le chez-elle qui avait été chez nous. On aurait dit deux survivants d'un duel de western où chacun aurait blessé l'autre sans faire exprès. Ni elle ni moi n'avions de balles dans nos revolvers, alors on papotait dans les décombres. On faisait même des blagues, un peu.

Elle me donnait à chaque fois un nouveau sac rempli d'affaires que j'avais laissées. Elle vidait l'appartement de ce qui m'appartenait, consciencieusement. Toujours bien rangées. Avec des cadeaux tout neufs posés sur un tas de souvenirs du passé. Nous étions censés nous rapprocher et elle continuait à transfuser mes affaires, sans avoir idée une seconde du mal que cela pouvait me faire. Et plus je voyais qu'elle ne se rendait pas compte, plus c'était douloureux. Elle disparaissait ensuite dans une bouche de métro et je repartais avec mon sac vers le nouveau chez-moi.

Chaque semaine j'entassais de nouvelles affaires dans le grand placard du passé. Je commençais à manquer de place. Au-delà du temps et des considérations, nos liens flottaient comme des étendards décolorés par une trop longue exposition au soleil. Puis à la nuit. Son ombre avait beau devenir un peu moins coupante, elle était toujours aussi encombrante. Nous savions l'un comme l'autre combien ces liens avaient été magiques. Dans le rapport de la gendarmerie des sentiments, elle écrivait clairement qu'elle avait été « obligée de me quitter même si elle m'aimait encore ». Obligée par qui et par quoi ? Et alors, pourquoi ne recommencerait-elle pas ? Son idée du « nous » allait peut-être mieux après ces quelques mois de stage de séparation mais, pendant ce temps, la confiance que je pouvais lui accorder avait fondu. Le poids de son abandon me donnait le droit inconscient de me reconstruire ailleurs. Le réflexe de survie de l'animal blessé, en quelque sorte. Sang pour sanguin.

Se laisser du temps, sans s'en laisser trop. Mais plus il passait, plus j'avais tort. Je vivais au sommet d'une montagne de contradictions. L'amplitude thermique était redoutable. Nous avions retiré nos plaintes à la gendarmerie des sentiments, mais l'incompréhension perdurait, elle s'ancrait même. Cette hypersensibilité l'un à l'autre qui nous avait donné tant d'élan auparavant se retournait contre nous. Un rien prenait des conséquences énormes. Tout arrivait trop tard ou trop tôt. Tout blessait.

Et c'est Sobralia qui recevait des éclats d'obus. Elle aurait pu s'en faire des colliers. Comment pouvait-elle résister comme ça, à mains nues ? Je ne me voyais pas l'abandonner. Elle m'acceptait tel que j'étais. Elle m'avait pris avec mes carrioles emplies de démons plus angoissants les uns que les autres, les avait accrochées aux siennes et avançait. Je ne me voyais pas lui faire ce que j'avais souffert qu'on me fasse.

Je ne pouvais pas mettre l'amour sur une balance et dire qui était le grand vainqueur. Leur densité était trop éloignée, il faudrait presque deux mots différents pour qualifier ces deux amours. Des synonymes siamois attachés par le cœur qui se font mal l'un à l'autre et ne peuvent pas se regarder.

Gaspard Neige vint me rendre visite. C'était la première fois que je le voyais chez moi. C'était étrange de lui offrir un bon vieux Coca sans bulles, ça faisait le même effet que boire l'apéro avec un ancien prof de français et s'apercevoir au détour d'une conversation qu'il porte des chaussures vraiment étranges. Pour qu'il vienne jusqu'ici, il devait avoir quelque chose de spécial à me demander.

— Alors, tu as de nouvelles inventions ?

Je lui montrai l'arbre à barrettes que je venais de mettre au point. Dans un premier temps, j'avais collectionné ces pinces métalliques que Sobralia semait dans la salle de bains pour qu'elle évite de les perdre. J'en faisais des petits fagots avec des élastiques en imaginant comment elle se coiffait. Puis je les avais plantées dans le plancher et les arrosais comme l'arbre à harmonica. Elles produisaient environ un bourgeon de barrette par semaine.

— Elle est venue me voir, dit-il, l'air curieusement embarrassé.

— Qui ?

— La fille invisible. Elle est venue me voir.

— Ah, et comment vous l'avez trouvée ?

— Invisible. Très belle sans doute, mais très invisible. Je ne pensais pas qu'on pouvait s'effacer à ce point.

— Je vous avais prévenu.

— Je crois que la situation l'épuise.

— Je sais.

— Elle sent que tu pourrais disparaître, et se sent impuissante face au retour de ton ex-pâtisserie préférée.

— Qu'est-ce qu'elle vous a demandé ?

— Comment faire pour te retrouver, pour que tu ne disparaisses pas à ton tour. Elle m'a fait penser à toi il y a quelques mois. La même ferveur déboussolée...

— Et que lui avez-vous recommandé ?

— De t'envoyer des messages érotiques par perroquet interposé, bien sûr ! dit-il avec toute la fierté de sa boutade dans les recoins cotonneux de sa fameuse barbe. Mais elle connaissait déjà le truc, tu t'en doutes. Et toi, où en es-tu ?

— Moi, j'ai revu mon ex-pâtisserie préférée et je suis complètement déboussolé.

— Bienvenue au pays de la truanderie amoureuse. Une double vie, c'est deux fois mieux, c'est ça ?

— Je ne sais plus...

— Écoute, crois-en mon expérience, ça finit toujours mal, ce genre de cavale. Ce serait plus facile pour toi s'il y avait une méchante, c'est clair !

— Ah oui ! M'énerver une bonne fois pour toutes et passer à autre chose.

— Se bagarrer contre un véritable ennemi, ça te soulagerait, n'est-ce pas ?

— Oui ! Une vraie connasse, ça me ferait tellement de bien. Que je puisse me venger comme un cow-boy à la con !

— Mais tu en as un, d'ennemi...
— Ah bon, qui ?
— Toi !
— ...
— Tu es ton pire ennemi, mon vieux ! Le plus impitoyable, le plus maladroit et le plus difficile à contrôler.
— Moi ?
— Et si tu ne t'en rends pas compte, c'est que tu es encore plus dangereux que je le pensais.
— Bon...
— Mais tu t'es suffisamment vengé de toi, ce ne sera pas la solution.
— Alors quelle est la solution ?
— J'en sais rien, moi !
— Eh bien merci pour ces précieux conseils, cher Jiminy Cricket !
Gaspard Neige marqua un temps d'arrêt et jeta un œil à mes fleurs d'harmonica.
— En quelles tonalités sont ces fleurs ?
— En ré mineur, je les ai accordées avec le hoquet de la fille invisible.
— Je peux ? demanda-t-il en approchant sa bouche de père Noël de l'arbre à instruments.
— Allez-y, bien sûr. Vous pouvez en cueillir et les garder, si vous voulez.
— Tu n'en veux pas ?
— J'ai planté cet arbre pour pouvoir en donner. J'aime bien donner des harmonicas aux gens à qui je tiens.
— Alors, merci.
Il souffla quelques notes au hasard. On aurait dit un instrumental de Bob Dylan sans guitare.

— Je ne suis pas là pour juger. Ce que je sais aujourd'hui, c'est que je t'ai trouvé dans un état lamentable après ta séparation et que le fait de chercher, et plus encore de trouver cette fille invisible t'a fait du bien. La seule chose que je peux te dire, c'est de ne plus tarder. Il est temps pour toi de résoudre ton équation amoureuse, si compliquée soit-elle. Tu dois faire un choix.

Bain révélateur

Le bain, c'est presque aussi bon que le sommeil. Quand je ne parviens pas à dormir, je tente de détendre les muscles de ma tête dans les vapeurs. Ne serait-ce qu'entendre couler le robinet m'apaise déjà.

Après avoir observé par la fenêtre Gaspard Neige redescendre la rue Brautigan en soufflant dans son harmonica, je m'installai dans la baignoire. Mes pensées se délièrent, doucement.

Alors que je somnolais dans les eaux surchauffées, une lueur rougeoyante germa au fond de la baignoire. Je n'osai pas trop regarder, ça m'évoquait le cœur d'E.T. quand il se fait courser dans la forêt. Le carnet rempli d'affichettes que m'avait offert Louisa flottait au-dessus de la brume, tenu par de toutes petites mains translucides. Puis la voix de Sobralia retentit.

— Je voudrais te montrer quelque chose. Une… expérience, que j'ai envie de conduire pour toi.

— Ah ?

— Ça fait un moment que je m'entraîne et je repousse le jour où me lancer, mais là, je me sens d'essayer, d'accord ?

— D'accord.

— Tu es prêt ?

— Je crois...

— Je voudrais t'embrasser !

— Quoi ?

— Je voudrais t'embrasser, quitte à apparaître devant toi.

— Et si ça te rend malade ?

— Je prends le risque. Sache que je suis terrorisée, mais je veux le faire pour toi.

Un frisson qui n'avait absolument rien à voir avec le froid remonta le long de mes omoplates.

— Je veux te montrer que j'existe, que je suis bien réelle.

— Mais je le sais déjà, tu n'as pas besoin de...

— Je sens que le passé est en train de te reconquérir. Je le sens. Si je ne me dépêche pas d'apparaître, c'est toi qui vas disparaître.

— Je ne te demande rien, tu n'es pas obligée.

De fines vaguelettes faisaient frémir l'eau du bain.

— Je sais. Mais si je ne le fais pas, je vais le regretter. Comme ça tu pourras prendre ta décision. Si tu ne restes pas avec moi, ce ne sera pas à cause de mon invisibilité.

Cette fois, nous n'échapperions pas au plus intime des grands sauts. Nous l'avions décidé. Le moment de vérité électrique, comme monter sur la scène de l'Olympia. On a beau se réjouir à l'idée, on crève d'angoisse quand l'heure fatidique approche. Les lumières s'éteignent, d'autres, plus étranges, s'allument. Quelque chose d'oppressant et magique à la fois se libère. Il faut y aller. Prendre un risque émotionnel et physique, s'engager. Maintenant.

Les lèvres de la fille invisible s'entrouvrirent doucement. Je sentais ses paupières de trop grande poupée se fermer contre les miennes. Le radiateur de sa poitrine vint se nicher contre mon torse. Ses doigts glissaient autour de ma nuque comme les plus voluptueux serpents du monde. Ils remontèrent le long de ma crinière de vieil écureuil. Mes mains, qui connaissaient son corps par cœur, trouvèrent leur place au bord de ses hanches. Le souffle en ré mineur de ses poumons caressait mes joues. Sa bouche palpitait toute pulpe dehors à cinq centimètres de la mienne. Je fermai les yeux à mon tour en songeant au visage que je découvrirai lorsque je les ouvrirai.

Sa bouche se trouve désormais à moins de quatre centimètres de la mienne. Les battements de nos cœurs se confondent.

Trois centimètres. Le bout légèrement froid de son nez et le mien font de l'escrime douce.

Deux centimètres. Mon ultra-mémoire envoie des images du plus petit baiser jamais recensé par flashs. Tous les muscles de mon corps se tendent comme pour un saut.

Un centimètre. L'adrénaline brûle les connexions entre cœur et cerveau pour les noyer dans une brume d'instinct pur.

Impact. Le plus intense baiser jamais recensé. Une centaine de secondes, pulpe et duvet compris. Bien plus qu'une effleure, qu'un origami. Le grand cœur-circuit. Le plus intense baiser jamais recensé.

Ses lèvres qui voletaient façon flocon de neige. Le deuxième flocon de neige perdu sur une plage en été, et moi qui essayais de le récupérer avec ma glacière trop grande. À partir de deux flocons de ce genre-là, on peut parler de tempête. Le plus intense baiser jamais recensé. Plus puissant qu'une armée de coups de foudre. Impact de lumière et puis...

Mes paupières tardèrent à se décrisper. Lorsqu'enfin je consentis à jeter un œil, ses courbes onctueuses commençaient à apparaître. On aurait dit qu'un souffleur de verre cristallisait son corps dans la baignoire. Je n'osais articuler un mot, de peur de briser le charme. La lumière rougeoyante se fit plus dense. Sa silhouette émergeait de la brume, se clarifiait. Ses cheveux ondulaient sur sa poitrine. Ses hanches se dévoilaient. C'était un moment étrange et beau. Une forme de retrouvailles avec quelqu'un qu'on n'a jamais quitté. La matérialisation d'un rêve, dans une salle de bains. Peut-être d'un cauchemar, car l'émerveillement se juxtaposait à l'effroi. Je voyais ses doigts pour la première fois pendant plusieurs minutes d'affilée. Ils prenaient doucement la couleur blanche de sa peau, tout en restant quelque peu translucides. Je découvris ses pieds appétissants, croisés sur le bord de la baignoire, du vernis sur les ongles. C'était étrange de penser qu'une fille invisible se faisait les ongles. Ils ressemblaient à ces sablés avec deux trous de confiture de fraise dans un lac de sucre glace qu'on appelle « lunettes ». Un comble de féminité.

Elle dégageait une intensité lumineuse de plus en plus proche de quelqu'un de normalement apparent. Son corps ondulait dans l'eau, sa peau de verre soufflé commençait à ressembler à un véritable épiderme.

Je passai le bout de mes doigts sur son avant-bras gauche aux allures de nacre.

Elle cacha son visage entre ses mains, comme s'il s'agissait de ses parties intimes.

Mon cœur battait dans son trou d'obus, j'attendais ce moment depuis si longtemps. J'eus le réflexe de la prendre dans mes bras. Elle se recula d'un coup sec.

— Ça t'est déjà arrivé ?

— Un peu…

Elle tremblait. Ses mains cachaient toujours son visage. On sentait monter la panique.

— J'ai peur que tu me voies. J'ai peur que tu ne m'aimes pas en découvrant mon vrai visage.

— Mais je n'attends que ça !

Je tentais de garder mon calme pour ne pas la brusquer. J'avais le sentiment d'être bloqué au sommet d'une montagne russe.

Mais rien n'y faisait. Son visage restait enfermé dans sa prison de doigts.

« Kiiiingggg ! Perrrrloqué ! » hulula Elvis de l'autre côté de l'appartelier.

Sobralia se mit à rire.

— Tu ne vas pas rester avec la tête cachée entre tes mains toute la soirée, si ?

— Non, mais j'ai peur, vraiment. J'ai très peur.

— Je fais semblant de fermer les yeux si tu veux !

— Oui, je veux bien, merci, dit-elle avec ce tout petit rire que je connaissais si bien. J'y vais ?

— Oui, je ne te regarde pas trop, c'est promis.

La femme qui n'était plus invisible baissa les mains, révélant un joli petit front bombé sur lequel s'implantaient des cheveux de bébé. Ses doigts s'ouvraient désormais comme les rideaux d'un théâtre miniature. Je découvris ses yeux. Ils réactivaient mon ultramémoire, je les revoyais se fermer juste avant le plus petit baiser jamais recensé. Deux grandes billes noisette surlignées à l'eye-liner. Ses cils papillonnaient si fort que je craignais qu'ils ne s'envolent. Puis ce fut au tour de ses pommettes douces, et, tout à coup, son visage en entier. Nous venions de dépasser le sommet de la montagne russe. Plus rien à escalader. La descente, maintenant. La grande aventure. Lâcher la barre de sécurité, tendre les bras vers le ciel, se concentrer pour garder les yeux plus qu'ouverts. Les fermer quand même. Hurler en apnée et enfin, voir.

— Louisa ? C'est toi, Louisa ?

— Je suis désolée...

— Louisa...

— Oui ?

Elle me regardait avec ses grands yeux de biche prise au piège qu'elle avait décidé de se tendre. Je n'en revenais pas... La fille de Gaspard Neige ! Ma pharmacienne ! Nue dans ma baignoire. Le choc ! Un choc moelleux, mais tranquillement colossal. La descente allait être plus longue que prévu. Louisa ! Avec le même petit air gêné que lorsqu'elle écrit l'adresse d'une asthmatique sur une boîte de Doliprane. Je ne pouvais pas m'empêcher de la dévisager. Où-qui-quoi-pourquoi-comment ? Qu'est-ce que tu fous dans ma baignoire, Louisa Neige ? Sa chevelure qui explosait en boucles souples sur ses petites épaules. Les bouts de ses doigts ne m'avaient pas menti, seuls mes yeux n'avaient rien vu, à la pharmacie. Comme si Louisa était la version en fleur de Sobralia. Éclose. Ses yeux paraissaient plus grands sans lunettes. On aurait dit elle-même en mieux. Un peu comme la copine de Rocky qui ne paie pas de mine dans le premier épisode et qui se transforme en bombe à la fin du deuxième quand il crie son nom parce qu'il est content. Putain de bordel de merde ! Sobralia + Louisa Neige = une biche.

Au secours ! Comment atterrir d'une telle découverte en mode vol plané ? Comment retrouver sa respiration ?

Passé le choc de la surprise, la douleur se réveilla comme une évidence, inondant mon cerveau d'une impression de plus en plus nette : je m'étais méthodiquement fait prendre pour un con.

— Ça ne va pas ? demanda-t-elle. Tu veux que je m'en aille ?

— Pardon ?

J'étais tellement bouche bée que j'éprouvais toutes les difficultés du monde à articuler une réponse.

— Tu es déçu que ce soit moi ? lâcha-t-elle pour briser le silence.

Mon cerveau et mon cœur devaient télécharger de nouveaux logiciels émotionnels pour que je décrypte ces informations.

— Louisa Neige…

— Oui ?

Je cherchais à éviter son regard mais les miroirs reflétaient son image partout. Cette salle de bains était un putain de kaléidoscope. Je tentais de reprendre mon souffle pour prononcer une phrase à peu près normale.

— Est-ce que quelqu'un peut m'expliquer comment, et surtout pourquoi Louisa Neige est... dans mon bain !

— Oui, moi, je peux essayer.

Elle sourit légèrement. Je n'étais pas prêt à ce que ce sourire me plaise, mais quelques radars planqués au fond de moi captèrent le signal.

— J'aurais dû te révéler mon identité tout de suite, je le sais.

— Mais... tu es bien la fille qui a disparu au théâtre du Renard ?

— Oui. C'est moi. Sauf que je n'ai pas disparu aussi longtemps que j'ai bien voulu te le dire.

— Parce que tu n'étais pas si amoureuse que ça ?

— Non, j'ai ressenti quelque chose de tellement fort avec ce baiser que j'en ai eu une trouille bleue !

— Mais qu'est-ce qui s'est passé alors ?

— Après le fameux baiser, j'ai disparu longtemps. J'ai vraiment cru que je resterais invisible pour toujours. Alors je me suis forcée à penser à toi le moins possible. Au bout de quelque temps, j'ai fini par réapparaître.

— Mais tu te rends compte que tu m'as fait tomber amoureux d'un fantôme !

— Je sais... Pourtant j'ai répondu à ton premier envoi par perroquet. « Je suis du genre à disparaître quand on l'embrasse et j'aimerais bien connaître la suite de l'histoire. Au fait, c'est Louisa. » Mais tu ne m'as pas prise au sérieux. Tu as continué tes recherches.

Le volume sonore de sa voix diminuait. Le mien augmentait, comme emballé par la machinerie cardiaque.

— Mais tu m'y encourageais !

Les mots ricochèrent sur le carrelage de la salle de bains. Je ne supportais plus de rester dans la baignoire. L'adrénaline montait et elle n'était pas soluble dans l'eau et l'immobilité. Je me levai et fis les cent pas autour de la baignoire en peignoir. Louisa grelottait dans le bain qui refroidissait et dont le niveau d'eau avait baissé depuis que j'en étais sorti. J'ouvris le robinet d'eau chaude sans trop oser la regarder.

— Alors, j'ai repris mon travail et tu es passé à la pharmacie. Je t'ai reconnu. À vrai dire, je t'avais même reconnu le jour où nous nous sommes embrassés. J'espérais que toi aussi, mais cela n'a pas été le cas.

— Ça va être de ma faute, donc ?

— Non. C'est juste que j'espérais que tu me reconnaisses, et pour ça, il aurait suffi que tu me voies vraiment.

— Je te voyais vraiment, mais...

— Comme ta confidente. La bonne copine, quoi. Tu as commencé à me raconter qu'il t'était arrivé quelque chose d'extraordinaire. Une histoire de fille qui disparaît quand on l'embrasse et là, je bouillais de te dire : c'est moi ! Sauf qu'il y avait mes collègues juste à côté, des clients aussi, je rougissais, je voyais que tu le voyais… J'ai essayé de me révéler à toi plusieurs fois ensuite. Quand la voisine nous a surpris en train de danser dans l'escalier par exemple, mais je ne savais pas comment faire. J'avais peur que tu me prennes pour une folle.

— Mais je n'attendais que ça, moi !

— Oui et non. Tu voulais retrouver la fille invisible, pas ta pharmacienne ! Tu tombais amoureux d'un fantasme et, d'une certaine manière, ce n'était pas moi. Car à aucun moment, je ne t'ai senti vibrer pour Louisa. Il n'y en avait que pour cette Sobralia que j'avais créée pour toi…

— Une partie de toi, c'était donc toi !

— Imagine que tu fabriques une marionnette pour en faire cadeau à quelqu'un et que la marionnette finisse par lui faire plus d'effet que toi… Je me suis sentie dépassée par ce que j'avais créé.

— Sauf que tu étais ta propre création. La bête n'était pas hors de contrôle.

— Et je devenais la tienne, aussi. Les messages par perroquet interposé, les petits poèmes, le spectacle de ventriloquie… Je devenais une sorte de muse. J'ai joué la carte du mystère pour continuer à te plaire. J'ai même décidé de la jouer à fond car je ne me sentais pas à la hauteur de tout ça dans la vraie vie. J'avais peur de te perdre en apparaissant. Je n'avais pas assez confiance en moi et le fait que tu t'emballes pour moi à travers Sobralia me plaisait.

— Il n'empêche que tu t'es complètement foutu de ma gueule.

— Pas du tout.

— Tu n'existes pas ! Je viens de découvrir que tu n'existes pas !

— Ne dis pas ça. Je t'ai quand même fait une déclaration à la pharmacie, mais tu n'as pas dit un mot. Tu avais l'air tellement emballé par cette Sobralia… Je craignais que tu ne sois déçu.

— Ce qui me déçoit, c'est d'avoir été pris pour un con, qui que tu sois !

— J'essayais seulement de te séduire. Tout le monde cache des choses au début…

— Je ne t'ai pas menti sur la marchandise. J'étais en miettes et je te l'ai dit.

— C'est vrai. Mais moi, je recevais tes messages enflammés d'un côté et te croisais à la pharmacie de l'autre. J'espérais que tu reconnaisses ma voix, j'espérais que tu te rendes compte, que ça viendrait de toi. Plus le temps passait, plus ça devenait compliqué pour moi de faire machine arrière.

— Machine avant, tu veux dire ?

— Tu n'as pas fait machine avant non plus. Et là, je ne parle pas de moi en tant que pharmacienne, mais bien de Sobralia. Quand celle que tu appelles ta « bombe d'amour » t'a envoyé ton ancien cœur par la poste, tu n'as pas beaucoup hésité à « aller voir »… Pourtant, j'étais là pour toi, comme une conne avec mes tours de magie qui ne marchaient plus. Tu me glissais entre les doigts. Tu t'éloignais.

J'avais l'impression d'entendre parler de la période précédant ma propre rupture avec mon ex-pâtisserie.

— Je savais que je ne pouvais pas lutter en restant invisible. Je m'étais sans doute un peu trop reposée sur mon rôle d'outsider, de gourmandise insaisissable. Je me souviens de ton regard lorsque tu as ouvert ce paquet qu'elle avait préparé pour toi. Je ne me suis jamais sentie aussi seule que lorsque je t'ai vu dans cet état. J'ai mis quelque temps à comprendre qu'elle était en train de reprendre la place qu'elle avait pourtant abandonnée. La donne venait de changer. La nouveauté, maintenant, c'était elle. J'ai donc décidé d'apparaître coûte que coûte. Si tu choisissais de me quitter, ce ne serait pas seulement à cause de mon invisibilité.

— Que de stratégies…

— Je réagis. Je me bats pour te garder. Je me révèle en entier. C'est la première fois que je fais un truc pareil.

— Et comment tu procédais pour être invisible avec moi et visible au travail ?

— Grâce au chocolat. La première fois que tu m'en as offert un, j'ai dû fuir dans l'arrière-boutique pour que tu ne me voies pas disparaître. Il n'avait pas autant d'effet que ton baiser, mais presque ! Pour rester invisible trois heures, j'en mangeais deux. Du coup, le week-end et la nuit, j'étais obligée d'en consommer beaucoup. Puis avec le temps, il m'en fallait de plus en plus, je m'étais, disons, accoutumée.

— Ça te faisait moins d'effet ?

— Non, c'était l'inverse ! J'éprouvais tellement de plaisir, et te faisais de plus en plus confiance. Je m'invisibilisais plus difficilement qu'au début. Je commençais à avoir vraiment besoin de t'embrasser pour de vrai, je crois. C'est pourquoi il arrivait que je ne donne pas de nouvelles pendant de longues heures malgré les messages.

— Ce n'était donc pas la faute du perroquet.

— Non. Ni celle des écureuils si tes chocolats disparaissaient, enfin pas seulement. C'était le seul moyen pour moi d'honorer la vie de Louisa tout en existant pour toi en tant que Sobralia. C'était un équilibre compliqué, mais je m'y retrouvais.

— Et avant le chocolat, comment tu faisais ?

— C'est facile d'être invisible quand on ne communique que par perroquet interposé. Mais aujourd'hui je suis là devant toi. Et je t'aime.

J'étais abasourdi. Rempli d'une joie acide, mêlée de doute. Louisa et Sobralia n'étaient qu'une seule et même personne. Ma vie amoureuse commençait à ressembler à un questionnaire à choix multiples. Elles n'étaient pas deux, mais trois. Enfin, deux et demie. Je me sentais l'homme le plus con du monde. La médaille d'or était si jaune qu'elle me piquait les yeux. J'étais à la fois vexé et heureux de l'être, contrarié et touché en même temps. Le courage amoureux dont elle avait fait preuve me troublait. La manière, certes peu académique, dont elle avait affronté ses peurs. Apparaître. Avouer son identité. Me faire sa déclaration... C'était une façon assez émouvante de se foutre de ma gueule.

« Quand même, elle est émouvante ! » me chuchotait le Jiminy Cricket du cœur. « Quand même, elle s'est bien foutu de ta gueule ! » répondait celui du cerveau. Et les deux finissaient à l'unisson : « N'oublie pas ce qu'elle a traversé pour te garder. Serais-tu capable d'endurer la présence d'une bombe d'amour issue de son passé ? »

Louisa et Sobralia

Mon cerveau avait du mal à appréhender cette version deux-en-une mais, instinctivement, elle(s) me plaisai(en)t. Je crois que j'étais encore plus perturbé qu'après notre première étreinte fantôme. Cette nuit-là, je la regardai dormir. Mes yeux la photographiaient et mon ultra-mémoire enregistrait ces souvenirs, par exemple sa peau si blanche, imprégnée de lumière de lune. Pour la première fois, tout se passait en vrai. Je n'imitais plus les gestes de l'amour, je les faisais, et c'était plus facile pendant qu'elle dormait. Ça me donnait un peu plus de temps pour me rendre compte. Je la « voyais ». Son corps libéré de sa blouse blanche et de son invisibilité fleurissait dans mes draps. J'aurais pu passer des années à observer ses grandes boucles de cheveux réglisse déferler entre les poires Belle Hélène qui lui servaient de poitrine, ou sa manière étrange de s'excuser de sourire lorsqu'elle se semi-réveillait.

Le temps passait. J'avais décidé de tenter le coup avec Louisa et j'essayais de lui faire une place neuve. Assez pour qu'elle n'ait plus besoin de disparaître.

Je m'étais lancé dans de grands travaux pour rendre mon cœur plus confortable, une sorte d'entreprise de rénovation intérieure de mon bunker. Aménager. S'efforcer d'aller mieux pour être plus accueillant. Casser quelques murs, fabriquer des fenêtres pour laisser filtrer la lumière. Du soleil pour Louisa-Sobralia. Au moins dessiner des fenêtres sur le mur. Faire pousser des fleurs ou, à défaut, en acheter de temps en temps.

Puis elle commença à entreposer des affaires à elle dans l'appartelier. Un petit bataillon de chaussures à talons poussait à côté de l'arbre à barrettes. Des dessous semblables à des paquets de bonbons en tissu apparaissaient dans le désert de mes étagères. On aurait dit le printemps. Nous nous laissions des messages par perroquet interposé. Je lui écrivais. C'était ma façon de lui montrer à quel point elle existait :

Puits d'amour

Tu as creusé un puits d'amour dans mon lit. J'en ai trouvé un autre dans la salle de bains et tu en as même glissé un escamotable dans ma valise. Il me faut apprendre à y puiser sans t'épuiser.

Je lui glissais ce genre d'histoires miniatures dans son sac à main. Pendant qu'elle dormait, j'en cachais dans ses sous-vêtements et ses chaussures.

Les démons n'avaient pas disparu pour autant, et je me faisais à l'idée que je ne m'en séparerais jamais vraiment. La blessure de l'accident d'amour ne se refermerait pas, inutile d'essayer de cautériser en accéléré. Il fallait avancer. Stopper l'amouragie.

J'étais allé récupérer ce qu'il me restait d'affaires dans l'ancien chez-moi. Cet endroit me terrorisait encore, j'y avais été trop heureux. À part le code de la porte d'entrée, rien n'avait changé. Mon nom sur la boîte aux lettres, le bruit de craquement du plancher, le grésillement du minuteur électrique. Sur le palier, ma respiration était aussi courte que si je venais d'atteindre le sommet de la tour Eiffel.

Comme à son habitude, mon ex-pâtisserie préférée avait tout bien préparé. Des petites choses à grignoter piquées dans des cure-dents, le tout dans des bols aux couleurs harmonisées. On aurait dit un goûter d'anniversaire. Elle s'était faite belle sans trop en rajouter. Chacun faisait attention à ne pas trop érafler l'autre. L'heure d'enlever les décorations du sapin avait sonné. Ça ne sert à rien des guirlandes sur un arbre mort, même si ça rassure toujours un peu.

Alors je suis parti avec mes derniers sacs remplis de disques, livres, DVD et de regrets.

Lourds à s'en couper la circulation sanguine au bout des doigts. Elle m'aida à les descendre dans la cage d'escalier. Le taxi Espace arriva. Une bruine lustrait le pavé, on aurait dit une couche de vernis sur le trottoir.

Je me revoyais le jour où j'avais dû quitter pour la première fois le quartier. Cette impression de m'exiler de l'autre côté de ma vie. Dark Side. Le vent glacé de janvier qui s'engouffrait dans mon trou à la poitrine. L'installation du bunker autour du cœur, avec son périmètre d'insécurité. Tout s'accélérait et tout ralentissait. Ce goût d'obscurité. On se dit qu'on s'y fera jamais. Un petit hôtel de l'autre côté de la ville, dans un autre pays. On se tord, mais on s'y fait. Il le faut. Se remettre en question. Trop. Pas assez. Trouver de nouveaux équilibres. Essayer de comprendre. Ne pas y arriver. En rire. Se foutre un peu de sa propre gueule. Croire. S'écrouler à nouveau...

Le taxi klaxonne. Il bloque la circulation de la rue. Je ferme le coffre. Elle me dit qu'elle regrette. Là. Maintenant. Pour la première fois. Qu'elle n'aurait jamais dû faire ça. Elle n'aurait pas dû me quitter. Une erreur. Elle le répète, avec sa voix d'enfant qui fume.

Dans la rue, les conducteurs rouspètent. Je suis trempé. Elle grelotte dans l'entrebâillement de la porte. Je monte dans la voiture. Le chauffeur me gueule dessus. Le ciel explose en sanglots de pluie contre la vitre. Je n'arriverai donc jamais à accepter. Ce qui s'est passé, ce qui ne s'est plus passé. Les étoiles fondent à travers le pare-brise, la lumière de la lune coule au plus profond du bitume. Le taxi glisse plus qu'il ne roule, je ne perçois plus le moindre bruit. Je regarde mon téléphone. Louisa a essayé de m'appeler, plusieurs fois.

Épilogue

Les échos de la bombe d'amour allaient et venaient. Mon cœur en aurait longtemps encore des acouphènes. Cette sensation d'extraordinaire gâchis continuait de me hanter. Neutraliser la bombe d'amour était un exercice terriblement mélancolique. Le tout était de ne pas la faire exploser une nouvelle fois. Pour Louisa, pour moi, il fallait que j'assume mon choix.

Gaspard Neige, lui, devenait un étrange pseudo-beau-papa. Il se sentait piqué dans son orgueil parce qu'il s'était fait promener par sa fille. En tant que détective privé et surtout en tant que père, il n'avait rien vu non plus. Mais d'une certaine façon, sa perspicacité émotionnelle s'était révélée déterminante pour nous aider. Il n'en parlait pas, mais il savait.

Depuis qu'elle s'était rendue complètement visible, Louisa prenait soin de ma gourmandise. Quelques secondes de son rire me faisaient l'effet d'une cure de vitamine C. Bon, je faisais aussi une cure de vitamine C. Mais quand même, je me surprenais à me plaire dans ce nouveau quotidien. Doucement, méfiant comme une bête féroce bien contente qu'on daigne lui caresser l'échine, je me laissais ébahir par quelques détails savoureux. J'aimais autant le goût de ses omelettes que la façon dont elle les préparait, par exemple. Son poignet secouait la spatule pour mélanger le jaune et le blanc avec une agilité que je lui connaissais aussi en d'autres circonstances. Le saladier absorbait son esprit et ses seins pouvaient se promener tranquilles. Ils s'inventaient en tendres tourbillons. Un opéra-ballet miniature. Les yeux dans les œufs. La « voir ». Réagir, s'enthousiasmer, rire, s'énerver, c'était l'aventure extraordinaire.

Pour son anniversaire, je lui fabriquai un recueil de tous les petits poèmes. Un vrai livre fait main, plus consistant que le cahier ou les feuilles volantes sur lesquelles je lui avais écrit les derniers textes. Je découpai et collai les affichettes sur un joli papier rouge assorti à la teinte qui colore parfois son visage quand son extrême timidité reprend le dessus. Son nom était imprimé sur la couverture. Exemplaire unique.

10712

Composition
NORD COMPO

Achevé d'imprimer en Espagne
par BLACKPRINT CPI IBERICA
le 2 mars 2014.

Dépôt légal mars 2014.
EAN 9782290088807
OTP L21EPLN001552N001

ÉDITIONS J'AI LU
87, quai Panhard-et-Levassor, 75013 Paris

Diffusion France et étranger : Flammarion